JN066411

ダンテ、李白に会う

四元康祐翻訳集古典詩篇

思潮社

ダンテ、李白に会う

四元康祐翻訳集古典詩篇

思潮社

装幀＝奥定泰之

目次

ダンテ、李白に会う

四元康祐翻訳集古典詩篇

第一章　私の生は拡がる波紋

ライナー・マリア・リルケ＊

リルケ、ディキンソン、ダンテ……敬愛する古今の詩人たちを自らの言葉で語り直してみたい、研究のためではなくそこに籠められた〈詩〉を生きるために、頭よりも肉体を通過させることで、遥かに隔たった時空で発されたコトバを現在ただ今の日本語に響かせてみたい——、それがこの本の目指すところなのだが、一体いつどこでそんな無謀な希いに取り憑かれたのか？

三十代の後半になるまで、私は〈詩〉というものを知らずにいたと思う。もちろん人並みに詩は読んでいたし、自分でも十代の半ばから書き続けてはいた。けれども私が本当に好きで、身体の隅々まで細胞で味わうことのできたのは（当然のことながら）ごく僅かな数の詩人たちで、私にはそれを〈詩〉という一般的な概念に敷衍することができなかったし、その必要も感じなかった。それどころか彼らの作品が自分を魅了してやまないのは、「いわゆる詩」のようではないからだと思い、「詩」とか「詩人」という言葉を密かに侮蔑してすらいたのだ。

そういう、いわば母子関係的に閉ざされた絶対的な詩の受容の仕方から解放されて、個々の詩作品の背後に、大文字で書かれた〈詩〉という普遍的な存在の気配を嗅ぎとり始めたきっかけのひとつが、外国語で詩を読み始めたということだった。英文科に籍を置きながら学生時代は一篇のキーツもホイットマンもまともに読んだことのなかった私が、どういう風の吹き回しか、辞書や注釈書を片手に最初は英語圏の詩を、やがて英訳を介して世界各地の詩を濫読し始めた。当時私は何年も詩を書いてはいなかったし、もう二度と書くこともないだろうと思っていたので、それは文学的な興味というよりも、四十を前にして、老いや死とどう折り合いをつけてゆくかといった実存的な欲求だったのだろう。

外国語の詩を読むのは根気のいる作業だ。最初はロゼッタストーンにも等しい言葉の塊から、一枚また一枚と丹念に意味の薄皮を引き剥がしてゆく。するとあるとき不意に立体的な世界が出現する。無愛想な字面の背後から瑞々しい肉感に溢れた手が伸びてきてこっちの胸を鷲摑みにするのだ。そのほとんど暴力的とも言える衝撃は、異言語という障壁があればこそ発生するもので、最初から「肌で分かる」母語の詩では味わったことのない感覚だった。だがそれを繰り返すうちに私は気付いていった、詩というものの読み方には、本来そういう「掻いくぐって摑みとる」という側面があるということに。母語であろうと外国語であろうと、言語の壁を超えて、言語以前の世界、あるいは言語の決して届かぬ場所へと人を導いてゆく力、未だ書かれていないただひとつの〈詩〉……。外国語の読解という手続きを介することによって、いつしか私は〈詩〉と開かれた三人称的な関係を結び直していたようだ。

こうして私の〈詩探しの旅〉が始まった。私は再び詩を書き始めたが、以前と違って、それは言葉越しに〈詩〉を手探りするような具合だった。私はまた日本語で書かれた詩を、それが自分にとって分かりにくいものであればあるほど、外国語の詩であるかのように読むようになった。と同時にさまざまな国の詩祭を訪れ、同時代の詩人たちと交遊を深め、そのうちの何人かとは英語(と時には身ぶり手ぶり)を介して、互いの作品を翻訳しあったりもした。

たとえ何世紀も前に地球の裏側で書かれた作品であっても、そこに〈詩〉を感じるならば、自分の心身を楽器のように差し出して、今ここにどんな共鳴音を響かせるのか試してみたい――その欲求は〈旅〉の途上から自然に溢れ出てきたものだった。

*

もっと直接的には、思春期の頃から愛読していた哲学者、森有正氏の、「カントを翻訳で読みその内容を喋々するよりも、その第一頁だけを原文で読み、その息吹きによって、こちらの精神的姿勢が正されることのほうが、はるかに重要である」という考え方に促されたこともあるだろう。頭で理解するのではなく感覚の蓄積によって、言葉を「経験する」ことを説く氏の思想は、哲学だけではなく詩にもあてはまるはずだ。

〈語り直し〉としての翻訳詩の試みの最初にリルケを選んだのも、私が現在ドイツに住んでいるということ以上に、森有正氏に倣うところが大きい。氏は『マルテの手記』をはじめとするリルケの作品をドイツ語の原文と仏語訳とで読んで、自ら「訳さないではいられないほど」大きな衝撃を受けた。「凡ゆる意味でそれはリルケの研究ではなかった」が、その経験は氏にリルケの刻印を与えた。彼が仏語訳を頼りに『フィレンツェだより』（ちくま文庫版）を訳したのは、それが「私の中の隠れた部分にレゾナンス（共鳴）を惹き起こし、自分が本当に望んでいるものは何であるか、また自分がどんなにそれから離れているかを同時に、また紛らわせようもなく明確に、感得させてくれる」からに他ならなかった。

私もまた〈詩〉との「レゾナンス」を求めてリルケを経験することを願うものだ。訳文には必要に応じて「直訳」と「解説」を付したが、私にとってそれは〈語り直し〉における自由を担保し、リルケの作品そのものを読むだけでなく、それを命綱として握りしめながら、自分のなかの深層に降りてゆくために必要な手続きでもあった。どんな予備知識もなく私の訳文だけを読んだ人が、それが古典的名作の日本語訳ではなく、現代の日本に暮らすひとりの生活者が、その現実の豊かさと苦しみのさなかから吐き出した言葉だと「読み間違えて」くれるならば、それに勝る喜びはない。

＊

瀕死の言葉たち

ぼくらの国の言葉はがりがりに痩せこけていて
血の気を失ってしまっている、可哀相に
詩の宴を催して
元気づけてやろうじゃないか

決まり文句に埋葬された
言葉の素顔を掘り起こしてやろう
引き攣ったお喋りでも真綿の黙殺でもなく
歌の羊水に浸してやろうじゃないか

一八九七年、リルケ二十一歳のときの作品。だがここに歌われている言葉の状況は、まさに今日の私たちのものである。

一義的な意味に還元された揚句、ついには手垢にまみれた決まり文句へと疲弊してゆく日常言語。満ち溢れる空疎な饒舌に疎外され、互いから孤立する人間。「経験」と「主語」の裏づけのない表層的な言語が政治、経済、教育など社会のあらゆる領域で跋扈している。

詩がともすれば難解さの袋小路へと迷いこみ、おおらかな祝祭性を持てないでいることも、そのような社会状況と無縁ではないだろう。現代の日本に生きる私たちが、リルケの言葉を引き受けて「言葉の素顔を掘り起こす」ためには、いったいどうすればよいのだろう。

「日々の暮らしに擦り切れた、可哀想な言葉たち／やつれ衰えた彼女らを、僕は愛する。／僕は祝祭を司り言葉たちに色を与えてやろう、／彼らが少しずつ幸福と笑いを取り戻してゆくように。／言葉の本質、言葉たちが注意深く隠しているものが、／鮮やかに更新されて、だれの眼にも明らかになる。／まだ一度も歌のなかを通り抜けたことのない言葉たちが／ぼくの歌声につられておずおずと歩き始める。」（「瀕死の言葉たち」、直訳「日々の暮らしに擦り切れた、可哀想な言葉たち」（Die armen Worte, die im Alltag darben,）、『初期詩集』）。

波紋のなかの私

わたくしの生は拡がる波紋
はなをこえ　くもをこえ　そらをこえて
わたしはいつまでものぼってゆける
たとえ一番外側の輪には遂に追いつけないとしても

わたくしは永遠のターンテーブル
神さま――　宇宙の始まりの塔のまわりで
わたしがわたしから溢れてゆきます、鷹へ、嵐へ
大きな歌のうねりのなかへ

リルケがこの作品を書いたのは二度目のロシア旅行から帰った直後だというから、もう二十五歳になっていたはずだが、その語り口は十代の少年のように瑞々しく、言葉遣いはやさしく平明だ。この作品から、『二十億光年の孤独』を書いていた若き日の谷川俊太郎を想起するのは唐突に過ぎるだろうか。

「はなをこえて／しろいくもが／くもをこえて／ふかいそらが／／はなをこえ／くもをこえ／そらをこえ／わたしはいつまでものぼってゆける／／はるのひととき／わたしはかみさまと／しずかなはなしをした」（谷川俊太郎「はる」全文）。

前半部で自己と宇宙との一体感について述べたあと、後半部で神が登場するという構成においても、ふたつの作品は似通っている。それは、どちらがどちらの影響を受けたというような次元の話ではなく、若くても感受性に溢れた精神が、真に原型的な詩人であろうと決意するとき、ほとんど宿命的に生ずる霊的な共振、時空を超えて詩の宇宙に瞬くコンスタレーションのひとつだろう。

「私は拡がってゆく輪のなかで生きている、／輪は事物を超えて延びてゆく。／その最後の輪を生

き終えることはないかもしれない、／だが私はいつまでも追い続けよう。／／私は神のまわりを巡る、原初の塔のまわりを、／何千年もかけて巡り続ける、／そしてなお、私には知りえない。私は一羽の鷹だろうか、／嵐だろうか、それともはるかな歌であろうか。」（「波紋のなかの私」、直訳「私は拡がってゆく輪のなかで生きている」（Ich lebe mein Leben in wachsenden Ringen,）、『時禱詩集』）。

予感

とおい空に掲げられた、私は旗だ
吹き来る風は云うだろう、これがお前の宿命なのだと
都会の甍は夕陽を浴びてる
家々の戸はかすかに開いて、なかは暖かい
窓ガラスは息をひそめている！　塵ひとつ舞い上がらない！
私は嵐の匂いを嗅ぐ、北の海のように胸が騒ぐ
その時よ、私の仰向かんことを、自らのうちに沈まんことを
ゆうがた、空の下で、身一点に感じられれば、万事に於いて文句はないのだ

この詩のなかで、リルケは詩人としての自分を旗になぞらえている。巷の人々が安穏と暮らしているとき、詩人はひとり嵐の到来を予感し、自ら空の高みにはためいてみせることでそれを体現する。そこにあるのは予言者であると同時に、生活者の生贄としての詩人像だ。

「旗」といえば、中原中也の代表作である「曇天」が思い出される。「ある朝　僕は　空の　中に、／黒い　旗が　はためくを　見た」で始まるこの詩においても、詩人は世間の目には見えぬものを見つけてしまい、その不吉さに慄きつつも、手を差しのべずにはいられない。

後半部でリルケは嵐のなかに身を投じる決意の表明、いわば「詩人宣言」を行っているが、そこには卑小な自我を永遠のなかに消滅させることへの、ほとんど官能的な歓びが感じられる。そのいささか性急な口調は、中也の、特に『山羊の歌』に収められた幾つかの詩篇とも通じるものがあるようだ。死への回路を切り開くことによって新しい生命を獲得しようとした二人の詩人——。

一九〇四年、中也の生まれる三年前、リルケが二十九歳のときの作品。訳文には中也の「帰郷」「羊の歌」「いのちの声」からそれぞれ一節を援用した。

「私は遠くの旗のように取り囲まれている、／やがて吹きつける風を予感し、私はそれを生きねばならない、／地上にあるものはまだそよとも動こうとしない、／扉はそっと閉ざされ、暖炉の炎は穏やかだ。／窓はカタリとも鳴らず、埃は厚く積もったままだ。／／だが私はそこに嵐を嗅ぎとり海のように立ち騒いでいる。／私は自分を開いて自分自身のなかへ沈潜してゆく／身を投げ出すのだ、完全な孤独のうちに／あの大いなる嵐の最中へ。」（「予感」、直訳同（Vorgefühl）、『形象詩集』）。

きぐるいマリー

うきうきマリー、あたし……　とうとう……
とうとう、なんだい？
　おきさきさまになったのよ
　みんながあたしにおじぎする

しくしくマリー、あたし……　あのころ……
あのころ、どうした？
　みじめなみなしごだったのよ
　おなかすかしてふるえてた

みなしごが、おそれおおくもかしこくも
おきさきさまになったって？
　そうよ、ここはどこかべつのばしょ
　あたしはうまれかわったの

めでたし　めでたし
で、そいつはいつのことだい？
　あるよのあるよのあるよのできごと
　ふしぎなこえがあたしをよんだ
　とおりをふらふらあるいてゆくと
　あたりのくうきはぴーんとはりつめていた
　だからマリー、しらべになって
　おどりにおどった！
　みんなはおうちのかげにいて
　ひっそりいきをころしてた
　だっておそとでおどっていいのは
　おきさきさまだけよ、おきさきさまだけ！……

リルケの詩の声はなかなか多彩だ。告白的な一人称があるかと思えば、親しげな呼びかけの二人称や冷徹な叙事の三人称もある。この一篇は素朴なわらべうたの口調。路地裏に響く少女の声が聴こえてくるようだ。孤高の詩人が時折見せる、意外なプレヴェール的横顔。

「彼女はずっと考えこんでいる、わたしは……　わたしは……と／おまえは誰だね、マリー？／わたしは女王です、女王なのです！／わたしの前に膝まずいて、さあ頭を垂れて！／／彼女はいつもめそめそ泣いている、わたしは昔……　わたしは昔……／おまえは昔何だったのかね、マリー？／わたしはみなし児でした、どんなに貧しく惨めだったか、／とても言葉で言い表すことはできません／／でもそんな哀れな子供がほんとうに成れるものだろうか、／人々にひざまずかれる女王なんかに？／だって物乞いをしながら見ていたときとは、／なにもかもが変わっているのですから／／なるほどそんな素晴らしいことがあったとして／さてそれが一体いつ起こったのか覚えているかい？／一夜の、一夜の、たった一夜の出来事でした――／まわりの物が変な風に語りかけてきたのです／わたしは路地裏をさまよい歩いてゆきました、すると／あたりがバイオリンの弦のように張りつめているのに気づきました／そのときマリーは、メロディになったのです、メロディに……／そして路の端から端まで使って踊りました／ほかの人達は、まるで建物に深く根を下ろしたみたいに／びくびく忍び足で通りすぎてゆきました／なぜなら天下の往来で踊ることが許されているのは／女王さまだけですからね、そう、わたしは路上で踊ったんですよ！……」（「きぐるいマリー」、直訳「狂気」（Der Wahnsinn）、『形象詩集』）。

第二章　君はもう行かねばならない

ライナー・マリア・リルケ＊＊

リルケを訳するにあたっては、当然まず原典の意味を正確に理解しなければならない。私のドイツ語能力はお粗末なものなので、既にある何種類もの日本語訳や英訳を読み比べることから始めた。次に私は、自分の日本語感覚が許容するぎりぎりの範囲まで逐語的に訳していった。逐語訳という作業は必然的に散文性を帯びるものだ。日本語感覚云々と書いたのは、詩の〈現場〉のなかに流れこんでくる散文脈をどこまで受け入れるかという問題が逐語訳のひとつのポイントであり、最終的にその判断は日本語に対する皮膚感覚を拠り所にするしかないと思えるからだ。

各作品の終わりに鍵括弧つきで示しているのがその結果だが、実はやればやるほど、私にはこの作業が面白くなっていった。散文性を思いきって導入したつもりでも、詩という革袋はどこまでも柔軟にそれを持ちこたえ、破れようとしなかったからだ。大岡信氏がどこかで、古典的な和歌を散文的に現代語訳すると意外な詩的効果が生まれるという趣旨の文章を書いていたことを思い出す。

歌としての詩に対する、物語る詩の無骨な味わい――。自分自身の書く詩から抒情性をどこまで駆逐できるか試してみたい、そんな誘惑に駆られたりもした。

そうやって足場を固めたうえで、今度は思い切り飛躍することを試みた。原典から歴史的な枠組みも文法的な構造も取り外し、ときには表層的な意味内容すら度外視したうえで、テキストの深層にひそむ〈もやもや〉としか言いようのない非結晶体に身を沈めるのだ。するとまたしても意外なことが起こった。私が少年の頃から読んできたさまざまな日本語詩人たちが、どこからともなく援軍にかけつけてくれたのだ。これは実に幸福な驚きだったが、考えてみれば当然の成り行きかもしれない。リルケの詩を前に、自分のなかの日本語を総動員しようとした結果、私は無意識の内に自分の詩的原体験を掘り起こしていたのだろう。

原典に忠実であることを至上とする見地からすればほとんど悪ふざけと映るかもしれないが、今の私にはこのような形の読み方だけが、外国語で書かれた詩を（消費ではなく、森有正氏のいう意味で）「経験」する唯一の道であると思える。逐語訳、そして各詩篇ごとにつけた短文を組み合わせることによって、立体的なリルケ像が構築されることを願っている。

出発

君はもう行かねばならない

親しい者に別れをつげて
今すぐこの世界から歩き出さねばならない
陽は沈み地平線はそこまで迫っている
ここにはもう君を繋ぎとめるものはなにひとつない
俯かないで　ほら、見上げることで
あの黒々とした樹を持ち上げてみようじゃないか
君の視線の先からほっそりとした孤独を夕空に吊り下げるんだ
ごらん、あれがぼくらの本当の故郷
あの限りない沈黙のなかで言葉は真実へと実ってゆく
そして心のなかであの木に触れることができたら
そうっと目を離してみよう
……木はまだ、空に架かっているね？

原題はEingang、詩集『形象詩集（Das Buch der Bilder）』の冒頭に掲げられているので「序詩」と訳されているが、元来はgang（歩み）の派生語として「入口、玄関、入場」などを指し示す言葉だ。

住み慣れた世界の敷居に立つ「君」に呼びかけ、遠い場所へと誘っているのは誰だろう。そう言えば、有名な「こころよ／では　いつておいで／／しかし／また　もどつておいでね／／やつぱり／ここが　いいのだに／／こころよ／では　行つておいで」（「心　よ」）という詩を書いた八木重吉は、「くろずんだ木」と題してこんな短詩も残している。「くろずんだ木をみあげると／むこうではわたしをみおろしてゐる／おまへはまた懐手してゐるのかといつてみおろしてゐる」

「君が誰であれ、夕暮れには部屋から出てきたまえ／その部屋のなかのことなら君はもう知り尽くしてしまったのだから。／君が誰であれ、その家は、／今、遠さの前の最後の砦。／君の目は疲れ果てて、すり減った敷居から離れられないでいるが／まなざしだけで、ゆっくりと一本の黒い木を持ち上げてごらん／空の下に吊り下げるんだ、ほっそりとした、孤独な木を。／ほら、たった今君は世界を作ったのだよ。ああ、なんという巨きさだろう、／沈黙のうちに熟してゆく一語のようだ。／さて、君の意志がその木の意味を摑み取ったなら、／そうっと視線を外してやりたまえ……」（「出発」、直訳「序詩」（Eingang）、『形象詩集』）。

てんし

てんしたちはみなくちびるをゆがませて
たましいのふちをひかりにそめる
ひとのつみするこころがしりたくて

ゆめのこみちをたどってゆく

てんしたちはみなおなじかおつきをして
かみさまのにわにいきをひそめる
みわざとしらべのとぎれめの
そこしれぬしじまのように

てんしたちがそらのたかみではばたくとき
ちじょうにかぜがまいあがる
するとひとびとはふとおもいうかべる
よぞらにほしをほりきざむかみさまのおおきなてが
ときのページをめくるのを

原語で読むまで、リルケの詩がこんなにも音楽的だとは知らなかった。観念だけで書いているのかと思っていたら、全然そんなことはなくて、素朴な歌声を響かせている。たとえばこの詩の冒頭

——

Sie haben alle müde Münde/und helle Seelen ohne Saum. 一行目は重苦しい mü と d の音を連ね、

二行目では一転e, o, auの母音を重ねることでほんのりとした明るみを演出している。言葉だって少しも難解ではない。リルケの詩が難しいとすれば、それは平易な語の多義的な組み合わせから生まれる深さなのだ。だからこそハイデッガーのような知識人に影響を与えると同時に、彼の詩は今もドイツ語圏の子供たちの唇に宿り続けているのだろう。

「天使たちの口は疲れていて／その明るい魂には縁取りがない。／ときおり憧れが——まるで罪を求めるかのように——／彼らの夢を過ってゆく。／／天使たちは互いに似かよっている。／神の庭先で、神の力と調べの繰り返しの間の／数知れぬ休止のように、／彼らは口を噤んでいる。／／その翼をひろげるときにだけ／天使たちは風を呼び覚ます、／あたかも神が、彫刻家の分厚い手で、／暗い始まりの書の頁を／ぱらぱら捲っているかのように。」（「てんし」、直訳「天使」（Die Engel）、『形象詩集』）。

秋

梢の上の　空の奥処の　枯れ果てた
お庭の淵から　木の葉は落ちる
いやいやと　かぶりを振って　落ちてくる

夜には　重たい　地球が落ちる
星の間を　ひとりっきりで

ものみな落ちる　この手も落ちる
どこもかしこも　奈落の底へ

だが　その一番下の　どん底に
そっと　差しのべられる　巨きな掌

一見いかにもキリスト教的な詩だが、リルケは既成の宗教に対して、敵意とは言わぬとしても一種冷ややかな距離を保っていた。曰く「宗教は制作しない人々の芸術である」、曰く「芸術家でない人間は、彼の内面に一つの宗教を所有しなければならない。たとえその宗教が、社会的・歴史的な因習に基づくものであっても」。

リルケ自身は（自画像にキリストのイメージを重ねたデューラーのように）自らの内側に絶対的な存在を抱えていた。「われわれについて言えば、われわれには教会を建てる必要はない。われわれに属するいかなるものも存続する必要はない……わたくしは、われわれがある一つの神の先祖であること、またわれわれの最も深い孤独が、幾千年を越えて、この神の開始にまで拡がってゆくのを感

じる。そのことを、確かに、わたくしは感じる！」（引用はすべて『フィレンツェだより』森有正訳）
「葉っぱが落ちてくる、彼方からのように、／あたかも空の奥処で庭園が枯れてゆくかのように、／身を捩るような仕草とともに落ちてくる。／夜になると重たい地面も落ちてゆく／星々の隙間から孤独にむかって。／／私たちはみんな落ちてゆく。この手も落ちる。／あたりを見回してごらん、なにもかもが落ちているだろう。／／だがただひとり、受け止めてくれる人がいる／これらの落下を限りなく優しいその手のうちに。」（「秋」、直訳同（Herbst）、『形象詩集』）。

ゆきてかへらぬ

僕は此の世の果てにいた。
陽は温暖に降り洒ぎ、風は花々揺っていた。
棲む人達は子供等は、皿の上に日々を盛ったが
僕には風信機（かざみ）の上の空だけだった。

木橋の、埃は終日、沈黙し、ポストは終日赤々と、
風車を付けた乳母車、いつも街上に停っていた。
女や子供、男たちは、不気味なほどにもにこやかに、

僕には分からぬ言語を話し、僕に分からぬ感情を表情していた。

さて我が親しき所有物（もちもの）は、タオル一本。
枕は持っていたとはいへ、布団ときたらば影だになく、
たった一冊ある本は、なかに何にも書いてはなく、
時々手にとりその目方、たのしむだけのものだった。

孤児や娼婦、孤独な老人など、社会の弱者に感情移入することの多いリルケだが、ここでは孤高の芸術家として、生活者と真っ向から対峙している。長い精神遍歴の果てに辿りついたところが月面のように思え、生活者の話していることが別の言語のように聴こえてくるというのは、素朴な実感だったのだろう。

こういう感覚をどこかで読んだことがあると思ったら、京都で過ごした十代後半の日々を歌った中也の「ゆきてかへらぬ」だった。読み比べてみるとふたつの詩は恐ろしいほどの一致を示す。ユングのシンクロニシティというやつか。おかげで訳文は中也の詩句を並べ替えるだけになってしまった。

「未知の海を航行するもののように、／私は永遠の定住者たちの傍らを通り過ぎてゆく。／彼らは日々を食卓に載せて暮らしているが、／私にあるのは彼方ばかりだ。／／私の眼前にひとつの世界

が現れる、／そこには月面さながらひとっこひとり棲んではいない、／なのに定住者たちはひとの感情を放っておくことができないのだ、／そして誰もが同じような口を利く。／／私が遠い場所から持ち帰ってきた物たちは、／連中の前におかれると場違いに見えてしまう。／広々とした故郷にいたとき、これらの物は野生の獣だったのに、／ここでは恥入るごとく息をひそめている。」（「ゆきてかへらぬ」、直訳「孤独者」（Der Einsame）、『形象詩集』）。

中年男の嘆き節

平凡な人生
しみったれた幸福
かつては夢も希望もあったが
オヤジ、オフクロ
おいらもすっかり歳をくっちまったよ
手塩にかけて育ててもらったけれど
ついになんにもできなんだ

いつまでも若手と呼ばれ続けて
気がつきゃ窓際

背広なら何着もあるけれど
人生は皺だらけ染みだらけのこれ一枚っきりさ
こいつを脱ぎ捨てられるのかと思えば
死ぬのもまんざら悪かあない？

ひからびた臍の緒ひとつ
（小函の底の明るさよ！）
麦わら帽子と蛍の夏がいつしか終わって

今は寒さが身に染みる

元の詩は世紀末ヨーロッパのいたいけな孤児の呟きだが、一世紀を経た現代の日本で、むしろその絶望は広く蔓延しているように感ずる。

「ぼくは誰でもないし功成り名を遂げることもないだろう。／ぼくは今この世にあるには小さすぎるけど、／いつか大きくなれるってわけでもない。／／父さん　母さん、／ぼくに情けをかけておくれよ。／／いいや、やっぱり面倒をかけるのはやめておこう、／どうせ刈りとられてしまうこの身だもの。／ぼくは誰の役にも立たない、今はまだ使い物にならないし／明日にはもう壊れているのさ。／／身につけているのはこの一枚の衣服だけ、／それも擦り切れ色褪せちまってる、／けれどもまだ永遠くらいならもつだろう／神様の前にでたって。／／手にしているのはこの一房の髪の毛だけ／（いまでも艶々しているよ）／昔々ある人がこの髪の毛を何よりも愛していました。／／今その人はだれも好きにはなれません。」（「中年男の嘆き節」、直訳「みなしごの唄」（Das Lied der Waise）、『形象詩集』）。

腐れ縁

どんなに逃げても追いかけてきやがる
遠い異国の盛り場の路地裏深く潜りこんでも
ひとりの夜がくるたびにおまえはおいらを見つけ出す
冷たい指から指へとわたりあるいて

あっちへ行けったら

おまえなしでは日も夜もない哀れな芸術かぶれが
この街にだってうようよいるだろうに
橋の下を覗いてみなよ

おいらはもううんざりなんだ
おまえも、おまえの小唄にまなこ潤ませ
生は苦しなんぞと嘯いてみせる生活不能者共も
とっとと失せろだ！

リルケは都会の片隅に響くバイオリンの音と、その物悲しい調べだけを心の慰めとする孤独な人々に「隣人」としての同情を惜しまない。だがそれはあくまでも壁越しの連帯だ。リルケ自身はむしろ自ら進んで孤独を引き受け、その孤独の深みにおいて他者の痛みを〈負託〉することを目指した。世界と繋がるために世界に背を向けるという逆説。訳していると、日本も詩壇も詩そのものも棄てて、東南アジアからパリへとさまよっていたころの〈むかうむきになつてる／おつとせい〉金子光晴の声が聴こえてきた。

「見知らぬバイオリンよ、僕を追ってきたのかい？／いったいいくつの遠い都市で／君の孤独な夜が僕の夜に語りかけてきただろう？／君を弾くのは百人のひと？／それともただひとりのひと？／

／どんな都会にだってきっといるだろう、／君がそばにいなければ／川に流されてしまいそうな人々が。／なのにどうしていつも僕のところへ来るんだい？／／生の困難はこの世のすべての物の重たさに勝る／君にそう語らせそう歌わせる悲しきひと／どうして僕はいつだって／そんなひとの隣に棲む羽目になるのだろう？」（「腐れ縁」、直訳「隣人」（Der Nachbar）、『形象詩集』）。

第三章

一輪のバラ、言い争う無垢な花弁たち

ライナー・マリア・リルケ＊＊＊

裂け目

苛々していて
なにひとつ手がつかないの
ここにいると息がつまりそうだわ
だからってどこへ行けばいいのか分からない

明けても暮れても同じことの繰り返し
お鍋のなかで煮凝りを掻き回しているみたい
気持ちばっかり空回りして

一日じゅう布団から起き上がれない
時々目の前が剃刀で裂かれたみたいにすぱっと開いて
ちらっと別の世界が見えることがあるのよ
いつかあたしそこへ行けるのかしら
この鬱陶しさを後に残して

元の詩がなんだかお分かりだろうか。リルケはこの詩を書くためにパリの動物園に通いつめたというが、私にはリルケがとりわけ豹に惹かれたとも、この作品が言語でできた豹の等価物だとも思えない。むしろ俳句における嘱目のように、視線を外部に定めることで、彼は詩を自我から解放し、世界の豊かさを取りこみたかったのではあるまいか。そう考えると、この豹はリルケ自身、そして檻の鉄棒は制度化された言語のようにも思えてくる。

「目の前を過ぎて行く檻の鉄棒のせいで／そのまなざしは疲れ果てでもはやなにも視ることもできない。／豹はいる、あたかもそこに数千本の鉄棒が存在しているかのごとく／そしてその数千の鉄棒の背後には虚無しかないかのごとく。／／しなやかで力強い足どりの、豹の優しい歩みは／限りなく内側へと渦巻いてゆく／まるで中心をめぐるエネルギーの舞踏のよう、／そこにひとつの巨きな意志が痺れて立ち尽くしている。／／ほんの時折豹の瞳孔のカーテンが／音もなく左右に開く——。

すると世界の表象が／その四肢に張りつめた静寂を駆け抜けて／心臓に達するや　搔き消えるのだ。」（「裂け目」、直訳「豹――パリ、動植物園にて」（Der Panther—im Jardin des Plantes, Paris）、『新詩集・第一部』）。

ドン・ファンの幼年時代

まだあんなにほっそりしているのに
もう腰の奥にぴんと張ってる
女の手には負えない……弓
物怖じしない瞳から放たれる好色の……矢

すれ違う女たち　未生以前の
思い出を秘めた女たちよ
ふふふ　ぼくはもう弱虫じゃない
押入れに閉じこもってぼんやりしたりしないぞ

気づいたばかりの自分の力に

得意になったり　こわくなったり
無数の熱いまなざしでもみくちゃにされながら
少年はどんな醜女にもほほえみ返した

リルケの詩を訳してあらためて感じるのは、彼が私性を排したフィクショナルな作品を多く残していることだ。特に『新詩集』にその傾向は著しく、老若男女は言うに及ばず、物や彫刻、動植物から鉱石に至るまで、ほとんどこの世の森羅万象に成り代わって歌っている。まさにキーツの言うカメレオン・ポエットである。だがそのどれもに、リルケ自身の〈感覚〉と〈経験〉のエキスが振りかけられているのだろう。

「詩人の言葉の中には、心の中から現れたような一滴の真情があって、それが彼の詩に美しさという輝きを与えるのである。しかし、その一滴を詩人の心から引き出すには何らかの本物の生きた体験などはいささかも必要ないので、どちらかといえば、レモンの切れはしをサラダの上に絞る料理女のように、詩人は時どき自分の心を絞るのだと考えた方がいい」。谷川俊太郎によれば、ミラン・クンデラはこう言っているそうだが、リルケが聞いたらどう応えるだろうか。

「彼の華奢な身体のなかには、すでにほとんど目に見えるほど、／一本の弓がしなっていて、女たちにはそれを折ることができなかった。／そしてときおり、もはや額を背けようともしない彼の顔を／ある種の嗜好が貫き抜けてゆくのだった／／通り過ぎてゆくひとりのひとへ、そして見知らぬ古い肖像を／その面影に宿したもうひとりのもとへと。／彼は微笑んだ。彼はもう泣き虫ではなかった、／暗いところにもぐりこんで、我を忘れることもなかった。／／真新しい自信をまとって、慰められたり／かと思えば押し潰されそうになったりしながらも、／彼は女たちのまなざしをひとつ残らず真剣に受けとめた／うっとりと彼に見惚れるそのまなざしは、彼の心を騒がせた」（「ドン・ファンの幼年時代」、直訳同（Don Juans Kindheit）、『新詩集・第二部』）。

疾中

手は熱く足はなゆれど
われはこれ塔建つるもの
滑り来し時間の軸の
をちこちに美（は）ゆくも成りて

空が暮れ、空が明け、あてどない
摑めるものはなにもない
口さがない浮き世の果てに
沈む憧憬

手は熱く足はなゆれど
われはこれ塔建つるもの
燦々と暗をてらせる
その塔のすがたかしこし

題名の訳とした「疾中」は、宮沢賢治が死の数年前に病床で綴った作品群のタイトル。訳文の最初の四行と最後の二行が、そのうちの一篇の全文となる。

賢治が熱に浮かされながら幻視した塔は仏教の仏舎利、リルケが歌ったのは古来キリスト教の聖人たちが修行に用いた円柱のイメージだが、生の最後の土壇場で、地上的な苦しみの一切を天上に昇華させようとする願いは同じだ。その祈念が、ともに塔という原型的な姿として現れたのは決して偶然ではないだろう。

「否！　我が心のうちに一本の塔を建てねばならぬ／その頂点に自らを捧げるのだ／もはやなにも残っていないところに、なおひとつの痛みを／筆舌に尽くせぬものを、そしてなおひとつの世界を在らしめよ。／／明滅を繰り返す途方もない空漠のうちに／ただひとつの物(ディング)を／決して鎮まろうとしない世界の果てに／最後の、憧れにみちた面影を解き放とう。／／もう一度岩石から究極の顔を掘り出そう、／その顔は内なる重みに従順であり、／自分を滅ぼそうとのしかかってくる遥かさを、

／浄福の高みへ押し戻すだろう。」（「疾中」、直訳「孤独なる者」（Der Einsame）、『新詩集・第二部』）。

倦怠

電線がうつらうつらしている
銭湯の天井なんぞを夢に見ながら
影も溶け出す夏の午後
墓場の小径はやおら身を立て歩き出す

居並ぶビルの窓々が陰気な目つきでそれを見送る
ひとびとはポロリポロリと死んでゆく
墓場の小径がぶつかるたびに

街のはずれの空に向って
そいつは生臭いゲップを吐き出す
さびれた団地の汚れ窓らが
背後でこっそり目配せを交わす

丘の上に黒々と煙たなびき
空はそいつの鼻先に
悠久たる尻の穴を向ける

リルケが告白的な抒情詩だけではなく、さまざまな事物に感情移入した、いわゆる「ディング・ゲディヒト」を書くことは知っていたが、この詩を読んだときは腰を抜かした。よりによって墓場の路になりきって、おまけに道ともあろうものが歩きまわってみせるとは。かつて筒井康隆が「横断歩道が立ち上がって交差点を渡ってくる」といった趣旨の前衛俳句（？）を驚愕とともに紹介していたのを覚えているが、それに先立つこと一世紀。凄まじき滑稽。

「天井の高い浴場を夢見て昼寝ばかりしている／ごみごみした街を抜けて、／墓場路が歩いてゆく　熱に浮かされ／町外れの最後の農家の窓に／／底意地の悪い目つきで見送られながら。／窓の視線は墓場路の首筋にこびりついて離れない、／構わずに墓場路は歩き続ける、右に左によろけてぶつかり、／遠くの方で息を切らせて悪態をつき／／まだ窓が自分を見張っていやしまいかと／おどおどと振り返ってから、／自分の虚無を空に差し出す。墓場路がさらに彼方の／／古代の水道橋にこっちへ来いと合図するとき、／空は墓場路にお返ししてやる／墓場路よりも長生きする空の空無を。」（「倦怠」、直訳「ローマ近郊の平原にて」（Römische Campagna）、『新詩集・第二部』）。

芋虫

あたまのもげたひとりの男
林檎のように熟して落ちた眼球
なのにまだ息をしている
ぼんぼりのように軀の奥に灯りをともして

雪原みたいにあてどない裸の胸を見つめていると
眼の奥がズキズキと疼いてくる
伸びたり縮んだりするおちんちんなら
笑ってみていられるのに

手足のもげたひとりの男
傷口から透明な血潮が吹き出している
空中に虹を描いて

たとえ生皮を剝いでも
この肉塊はわたしを見つめ続けるだろう
あの世への道連れにするために

原詩は古代のギリシャ彫刻を題材としているが、そこにはリルケのロダン体験が色濃く滲みでている。彼が著した『ロダン』の一節、「人間の肉体がこれほどその内部に向って集中されたものはかつてなく、これほどそのみずからのたましいによって折りまげられ、またみずからの血の弾力によって引き戻されているものはかつてなかった……ロダンはこの場合腕というものを、彼の課題のあまりに安易な解決と考えたのである」（高安国世訳）。

一方日本の文学者のなかで、手足のない肉体に異様な力と美を見出した者といえば、『芋虫』を書いた江戸川乱歩をおいて他にあるまい。乱歩が私淑したエドガー・アラン・ポーの遺伝子はボードレールなどのフランス象徴詩を通してリルケにも受け継がれているので、このふたり、まんざら無関係というわけでもなさそうだ。

「私たちにはその比類なき頭部を見ることができない、／そこで林檎のように熟してゆく瞳も。けれど／彼のトルソはなお燭台のように輝いて、／そのまなざしを反対側に差し向け、彼自身の／／内部を照らし出している。そうでなければその胸部の／湾曲が君を眼眩ませるわけはなく、その腰の／優美な捻りが、生殖を司る中心へと／微笑を誘うべくもないのだ。／／そのまなざしなくてはこれはただの石くれ／両肩から迸る透明な飛沫の下に蹲る歪んだ石くれ／獣の毛皮のようにきらめくこともなければ／／星の爆発のように身体じゅうの殻を／打ち破ることもない。このトルソのどの一点たりとて／君を見ていない所があるだろうか。君は生き方を変えねばならない。」（「芋虫」、直訳「古代のアポロ像のトルソ」（Archaischer Torso Apollos）、『新詩集・第二部』）。

詩人の死

男は死んだ　枕の上に
むっつり仏頂面を晒して
この世であくせくすることに
ほとほと愛想を尽かして
あとは野となれ、山となれだ

居場所のない人生だった
詩を書いて憂さを晴らした
そのときばかりは我が物顔で
宇宙の森羅万象を睥睨した

男はせかせか歩いてゆく
噂にきこえた「永遠」とやらへ
日光を浴びた途端たちまち色褪せて
ボロボロに朽ち果ててゆく古文書のような
お面一枚後に残して

ポーランドの現代詩人、アダム・ザガイェフスキーはなにかのインタビューでリルケに触れて、「リルケは死の恐怖に取り憑かれていました……詩人とは、多かれ少なかれ、死の専門家なのです」と述べている。ここに訳出したような詩を書くことによって、リルケは死をシミュレートしていたのだろうか。だとすれば、いよいよ現実の死を迎えたとき、詩人である（あった）ことは、どんな風に作用するのか。

「ホラホラ、これが僕の骨だ」（「骨」）と書いた中也はその数年後にこの世を去ったが、三十一歳で「詩人の死」を書いたリルケはそれからなお二十年生きて、『マルテの手記』『ドゥイノの悲歌』『オルフォイスに寄せるソネット』などを書き残すことになる。

「彼は横たわっていた。仰向けのその顔は／青白く、触れられることを拒んで高い枕の上にあった／世界とそれに関する知識が／彼の感覚から切り離されて以来／その顔は無関心な歳月の上へと落ちていった／／生前の彼を見たものは、知らなかった／どんなに彼がこの世のすべてと合一であったか／なぜなら、この渓谷、この牧場／この水こそ彼の顔であったのだから／／ああ、彼の顔はこの無辺なる広がり／それはなお彼を欲しがり彼を求めている／そしていまや刻々と死に絶えてゆく彼の仮面は／柔らかく開かれた果実の内側のよう／空気にふれて傷んでゆく」（「詩人の死」、直訳同（Der Tod des Dichters)、『新詩集・第一部』）。

墓碑銘

一輪のバラ、言い争う無垢な花弁たち
いくえにも重なる瞼にくるまれて
人知れず眠る歓び

一九二五年、死の前年のリルケが墓碑銘として遺書に書き残した詩句だそうだ。中世の館で孤独に暮らし、庭の薔薇の棘に刺された些細な傷がもとで五十一歳の生涯を閉じた天才詩人。世に語られるリルケ像は、ともすれば少女マンガのような響きを帯びるが、私にとってのリルケはロマンチックな感傷とは程遠い存在だ。

リルケは限りなく現在形だ。ギリシャ悲劇やルネッサンスの芸術が、その根源性ゆえに、受容する者の内側において絶え間なく更新され、現在ばかりか未来をも照射するように、リルケは歴史の外側から私たちに語りかけてくる。

　この詩人に時代がかった道化の衣装を着せて、あるいは過度に神格化して、祀り上げてしまってはならない。私たちは、たしかに天才的ではあれ、あくまでも人間の精神としてのリルケに出会わなければならない。リルケという存在のなかへ、自らの存在を賭けて歩み入るのだ。ちょうど彼自身が、死に際して、薔薇の花びらの内奥へ潜りこんでいったように。およそ優れた芸術作品との、それが唯一の付き合い方であろうけれど、リルケはそうすることが極めて難しく（あるいは一生かかっても無理かもしれない）、それゆえにこそ歓びもまた測りしれない、数少ない詩人のひとりだろう。

「バラ、おお純粋な矛盾、歓びよ／幾重もの瞼の下の名もなき眠りよ」（「墓碑銘」、直訳「バラ、おお純粋な矛盾」（Rose, oh reiner Widerspruch））。

第四章　本当のことを言おう、けれど斜め横から

エミリー・ディキンソン＊

　エミリー・ディキンソンはいわゆる詩論の類を残さなかったが、彼女ほど、「詩についての詩」あるいは「詩人についての詩」を書いた詩人も珍しいだろう。文学に限らず、絵画、音楽、映画、写真などおよそすべての分野において、その様式に固有の可能性と限界を問いかける自己言及性というものが現代芸術のひとつの条件であるとするならば、一八三〇年生まれのディキンソンはその点においてまさしく現代的な詩人だった。

　それらの詩篇を読むと、彼女が詩の本質と、詩人という存在、そして詩的瞬間と散文的現実との関係について、徹底的に考え抜いていたことがよく分かる。と同時に、詩壇においては無名であったにも拘わらず、彼女が自らの詩人性に確信を抱いていたということも。ディキンソンにとって、詩とは表現である以前に、詩人で「在る」ことの結果だった。そして詩人で在るということは、目に見えるものの背後にひそむ、もうひとつの世界を感知することだった。あるいは、孤独のなかで

詩人であり続けようとする自分を励まし、より深い認識の地平へと促すためにこそ、それらの詩篇は書かれたのだろうか。

彼女の詩は、拡散ではなく凝縮、遠心性ではなくて求心性に貫かれているが、その語り口の本質は、独語（monologue）よりもむしろ対話（dialogue）に近い。そのことは、彼女が詩を書く自分という存在の中心に、他者を見出していたことの証ではあるまいか。その場合の他者とは、「真の自分」と言い換えることもできようし、二人称的な自他の関係の彼岸にある、三人称的な存在と呼ぶこともできるだろう。自らのうちにそのような「絶対者」を抱え、それとの関係を深めるために、彼女は知識や学問の力を借りようとはしなかった。ニューイングランドの自然と、平明な言葉だけを導き手として、自らの内面に降りて行った。だからこそディキンソンの詩は、教会から距離をとりながらも、ときとして祈りそのもののように響くのだ。それは読むものを深く慰めると同時に、厳しく問いかけてくるようでもある。私はこのように、生きて、書いた……おまえはどうなのか、おまえには祈ることができるか、自分のなかにそれだけの言葉と沈黙、光と闇、生と死を持ちえているのかと。

一七七五篇におよぶという彼女の詩稿のうち、詩人、言葉、そして詩人の生きる散文的現実を直接の題材とする作品群を選んでここに訳出した。ディキンソンというと、少女時代の肖像写真の印象が強いためか、若い女性のやさしく繊細な語り口が思い浮かぶが、実際には大半の作品が三十代に入ってから書かれており、そこには男女の性差を越えた、人生の半ばに達したものの憂鬱と諧謔、ときにはぞっとする残酷さすら漂っている。その点を踏まえて、訳文ではあえて女言葉に拘らなかった。私はむしろ、ディキンソンの詩に、いま生きて詩を書こうとしている自分を重ねることを試みた。

百五十年という時を隔てて、これらの言葉の、その表現と内容の、なんと生き生きと新しいことだろう。ディキンソンが読めるということ、それは痛みと倦怠に溢れた散文的な日々に（斜めに）射しこむ、ひとすじの透明な歓びだ。

詩人について

詩人というのは
平凡な意味の世界から
比類なき感覚を引き出してみせる者
玄関先に打ち捨てられた

名もなき草花から
めくるめく香りを搾り取り
言われてみればまさにその通りだが

言われるまでは思いもつかないことを指し示して
隠し絵を、解き明かす者
詩人というのは
世界の豊かさを示すことで
わたし達に自らの貧しさを思い出させる者

所有から自由で
奪い取ろうにも天衣無縫
自分自身がひとつの大きな謎として
時間の外に佇む者だ

＊

詩人はランプに火を点けて
芯を繰り出したまま
自分はどこかへ行ってしまう
もしも光が本物で

（448）

星のように瞬いたなら
あとは時代が
レンズの代わりに
輝きの輪を広げてくれるだろう

（883）

＊

美しい言葉を飲み食いして
魂の飢えを満たす人
金がないことも
いつか死ぬ身であることも忘れて

しみったれた空の下で踊っていられる人
たった一冊の書物が
人にこんな遺産の翼を与える
詩って、つくづく罪なものねえ

（1587）

＊

本当のことを言おう、けれど斜め横から
急がば回れだ
おれたちのウブな歓びに
本当のことの驚きは眩しすぎるから

稲妻に怯える子供だって
やさしく話してやれば心が落ち着く
本当のことの輝きを少しずつ小出しにしてやろう
さもなくば、この世はめしいてしまうから

＊

動かない灯芯よりも
遠ざかる光のなかでこそ
おれたちの眼は研ぎ澄まされる
逃亡するものにしか見えない

（1129）

風景がある
陽のきらめきがある

（1714）

＊

いつか死すべき唇が
遠い未来の貨車が運んでくる一語を
預言しようと企むとき
唇よ、おまえはその重みに押し潰されてしまうだろうよ

（1409）

＊

おれは名無しの権平さ。お前は？
やっぱりゴンベイ？
だったらおれたち同じ穴の狢だな
しーっ！　世間の奴らに知れたらまずいよ

自己表現なんて恥ずかしくって
沼の蛙じゃあるまいし　日永げろげろ

オレが、オレがと
喚き続けていられるかい！
（288）

＊

ぼくは世界に宛てて手紙を書く
（もっとも返事がきたことはないが）
やさしくも威厳をもって
自然がぼくに教えてくれた単純な事柄について

手紙を読んでくれるのは
ぼくの見知らぬどこかのだれか
故郷の人々よ、自然の愛の恵みに免じて
ぼくを裁くならどうかお手柔らかに
（441）

＊

名声はぐらぐら揺れる皿の上の
気紛れな料理だ

一度食べたら最後
もう二度と
ありつくことはできない

カラスはかけらを突っつくと
げらげら嘲笑いながら
飛び去ってゆく
麦畑の方へ
人間は残りを平らげて、死んでゆく

（1659）

*

狂も極めれば聖
分かる人には分かるはず
マトモも過ぎれば狂気の沙汰だが
生憎それが世間というもの
世間で一番大事なことは　例によって
右へ倣え　それが正気のしるし

たてつく奴はあっという間にブラックリスト
あげくは鎖に繋がれる　　　　　　　　　　　　（435）

意味の世界から感覚を抽出するもの、隠された謎を指し示すもの、歴史の外側に佇むもの……詩人を定義するディキンソンのことばは明晰そのものだが、その明晰さはひとすじの水平線や澄みきった陽光のようなもので、それについてさらに説明しようとするとたちまち指の間から零れ落ちてしまう。自身の詩句に従って、詩人の職能についても、彼女は「真実を斜めに」語ったのだろうか、私たちの「ウブな歓び」を傷つけないために。

「急がば回れ」、事物の本質を捉えるためにあえて迂回する（"Success in Circuit lies."）というのは、表現という行為の根幹にかかわる真理だろう。だがそこに、自宅に引き籠もって暮らし、白い鎧戸を下ろした窓の陰から外の世界を覗いていたディキンソンの実生活を重ねないでいることは難しい。「遠ざかる光のなかでこそ／眼差しは研ぎ澄まされ」、「逃亡するものにしか見えない／風景がある」と書いたとき、彼女はどこから遠ざかり、なにから逃れ去ろうとしていたのだろう。

名声というものをほとんど敵視し、自ら進んで「名無しの権平」に留まろうとしたディキンソンの姿勢を、世間に認められることのなかった不幸な詩人の妬みや開き直りと受け取っては、彼女の詩を普遍たらしめている大きな要素を見逃すことになってしまう。それは神話や伝承わらべ歌の世界にも通ずる「読み人知らず」の、匿名性という力の源泉だ。詩人が自らの個の深みへと降り立ってゆくとき、卑小な自我は消失し、「だれでもないもの（I'm nobody!）」としての集合的無意識の王国が出現すること、そこから発された言葉だけが不死の力を獲得するということを知っていたからこそ、彼女は詩人としての自分が「Somebody」となることを頑なに禁じたのではないだろうか。

言葉について

言わぬが
花
だって？

とんでもない
言わずに花実が
咲くものか

（1212）

＊

どんな艦隊も、一冊の書物ほどに
我々を制圧することはない

どんな猟犬も、詩の一頁ほどに
駆け巡ることはできない
一銭の通行料もなしで
だれにでも越えられる関所
ああ、人間の精神を運ぶこの乗物の
なんという慎ましさ！

（1263）

＊

詩は、夏の空を見上げること
本当の詩は消えてゆく
書物のページから
跡形もなく

（1472）

＊

誰かさんがうっかりページにこぼした一語が
君の眼に忍びこむ
永遠の縫い目の奥に宿っているのは

皺のよった創造主

文節が感染に侵されてゆく
やがて君は絶望を吸いこむだろう
何世紀もの時を隔てて
誰かさんからビョーキをうつされたんだ

（1261）

*

さあ、どうぞあちらへと
選ばれた言葉に向かって詩人が言った
ほかの候補者の皆様といっしょにお待ち下さい
もう少しで準備万端整いますから

詩人は辞書とにらめっこ
そしてようやくベルを鳴らして
待機している候補者たちを呼ぼうとしたとき
招かれざる客が入ってくる

あの言葉が埋めようとしていた
あのヴィジョンのまさにあの部分が！
頭で書いてもダメだってこと
天使の羽ばたきを待つほかないのさ
（１１２６）

＊

「言葉」は議会で交わされる悪ふざけ
「涙」は神経の演じる手品
そして心臓は一番重い荷物を背負わされて
にっちもさっちも身動きできない
（６８８）

＊

人の目には見えない手に
蜘蛛は銀の珠を持っていて
ひとりでやさしく踊りながら
真珠色の紡ぎ糸を繰り出してゆく

虚無から虚無へと精を出す
物資を伴わぬ交易
あっという間に取り替えてみせる
人間の壁掛けを自分のものと

壮麗な光の大陸を
織りあげるまでに僅か一時間
今は領土のことなどすっかり忘れて
この家の主婦の箒の先からぶら下がっている
（605）

ディキンソンは言葉というものを、どうやら人間から独立してそれ自体の意志を持つ、ひとつの生き物とみなしていたようだ。言葉は種子のように時空を越えて人間精神を運び、ウイルスのように魂に寄宿して増殖する。それを眠りから呼び醒まし、活性化するために、なによりもまず息を吹きこまなければならない。彼女の語彙のなかに「言霊」に相当する単語があったかどうかは知らないが、彼女と言葉との関係には、明らかに「霊的」な要素が介在している。彼女は猛獣使いのように言葉を操るというよりも、巫女のように、言葉の降臨を待ち受けるタイプの詩人だった。

身体は一歩も家から出ることのないまま、ディキンソンの魂は、言葉の翼に導かれて限りなく遠くを目指した。生きている人間にとって最も遠い場所が死であることは言うまでもないだろう。実際、死の到来する瞬間を描くとき、彼女の言葉は最も生き生きと輝いているように思える。この詩人は、言葉に対しては従順な僕のように受動的だったが、その言葉によって、死という猛獣を飼いならし、生のなかへ囲いこもうとしたのかもしれない。

第五章　詩人が歌う秋のとなりに

エミリー・ディキンソン＊＊

生について

内陸の魂が、
家々をあとに、岬をあとに、
海へ、深い永遠のなかへ入ってゆく――
痛みにも似た鋭い歓び

船乗りどもは知るべくもない
山で育ったおれたちが
沖に向けて最初の一里を漕ぎ出すときの

あの気高い陶酔を

（76）

＊

歓びの一瞬ごとに
支払わなければならない
情け容赦のない料率で
歓びに釣りあうだけの苦しみを

愛の一瞬ごとに
差し出さなければならない
長年爪に火を灯すようにして溜めた小銭と
涙のぎっしり詰まった千両箱を

（125）

＊

詩人が歌う秋のとなりに
散文の日々が書きつけられている
雪のこちら側に少しと

霧の向こう側にも

ブライアント氏の「アキノキリンソウ」と
トンプソン氏の「麦の穂」の後に
いくつかの痛みの朝と
苦しみの夕暮れがやってくる

小川のざわめきも今は静まりかえり
かつて匂いたった花びらは閉ざされている
妖精たちはみんな眠ってしまった
催眠術師の指に撫でられて

せめてリスの一匹でも残っていてはくれぬものか
このやりきれなさを分かち合うべく――
「陽気で、坦々として、しかも己を売らぬことを」か？
「冬は疾風吹きました」だ！

（131）

＊

苦しみの顔が好きだ
それだけが本物だから
痙攣や激痛を
人は演技できない

目がどんより曇って……死がやってくる
ありふれた痛みの糸が
額につなぐ汗のロザリオを
人はただ授かるだけだ

＊

羽目板から羽目板へ
おずおずと私は足を踏み出した
頭上には星々を
足元には海を感じながら

（241）

確かなことはただひとつ　次の一歩が
最後になるかも知れぬということ――
それゆえのへっぴり腰を
人は〈経験〉と呼ぶ

（875）

＊

心のなかの暴徒は
警察にも鎮圧できない
最初騒乱であったものが
いつの間にか治安と認定されて

姿も見せず
声も漏らさぬまま
ぬくぬくとした土壌の上で
台風さながら勢力を拡大してゆく

（1745）

＊

世間はおれを散文に閉じこめようとする
ちょうど子供の頃
おれを黙らせようとして
押入れのなかに閉じこめたみたいに

奴らがおれの頭をかぱっと開いて
なかを覗いてみたなら、分かるだろうに
それが鳥を大逆罪に訴えて
柵のなかへ放りこむような間抜けな真似だって

鳥はあっけなく束縛から羽ばたいて
星のごとく舞い上がり
空で笑う、さてそれこそが
このおれの詩(うた)

（613）

＊

おれは可能性という家に住んでいた
散文よりは優れた物件だった
窓の数は多いし
扉の品質は最高級だ

部屋の天井は杉のように高かった
セキュリティも万全
おまけに屋根は永久保障つきの
空の切妻

訪れるのは選り抜きの紳士と淑女だけ
さて、そこでおれが毎日していたことはといえば
一所懸命両手を広げて
天国をかき集めることだった

（657）

＊

光が特別な角度に傾くとき
冬の午後が
人の胸を塞ぐ　重苦しい
ミサ曲のように

私たちは天から痛みを受け取る
傷は見えないが
内側には意味が溢れ
変化が生じてしまっている

誰にもそれは語れない
語れないけど　それこそが
絶望の徴　どこからともなく降り注ぐ
豪華絢爛たる不幸というもの

光が特別な角度に傾くとき
風景は耳を澄まし影たちは息を呑む
消えてなお　それは距離そのものとして
死の顔の上に留まる
（258）

＊

芝生の上を這ってゆく長い影は
陽の沈むしるし
草の葉たちは震えている
近づいてくる暗闇の足音に
（764）

エミリー・ディキンソンの詩を読んでいると、ときおり彼女の笑い声が聞こえてくる。ちょっと癇の強そうな、よく響く高い声が。笑いは詩に似ている。それは瞬間にしか生きることができなくて、前触れもなく訪れたかと思ったら、またすぐに跡形もなく消え失せる。あとに残されるのは「詩人が歌う秋のとなり」の「散文の日々」の果てしない連なりだけだ。

誰にも読まれるあてのない詩を書くことだけが仕事の無為の人にとって、それはなんと長かったことだろう。たしかに彼女は、言葉で、荒野を楽園に変える術を心得ていた。自らを、無限の海に漕ぎ出してゆく船や、柵の囲いを嘲笑いながら空に舞い上がる鳥に模して、現世にいながらにして天国を集めてみせた。そしてそれに飽きると、こんどは死の瞬間や苦痛をうっとりと思い浮かべたりした。

それでもなお、彼女の前に午後は白々と伸びている。窓の外から走りまわる子どもの足音や物売りの掛け声が聞こえる。そこには「世間」があり「人生」というものが営まれている。だがついにそれは彼女のものではありえなかった。あれだけの孤独と苦痛のはてに手に入れたものはなんだったのだろう。そんなとき、空から光が特別な角度で射しこんできて彼女の心を礫にする。ディキンソンの詩を読んでいると、ときおり、その呻き声が（ほとんど快楽の叫びのように）響き渡る。

ディキンソンは一八八六年、生まれ育ったマサチューセッツ州アマストの家でその生涯を終えた。五十五歳だった。死後、彼女の部屋の箪笥のなかから一七七五篇にのぼる詩稿が発見された。生前に発表されたのは、そのうち十篇だけだったという。

ディキンソンの詩集を読み終えるたびに窓の外の風景は静けさを深めてゆく。笑い声も呻き声も削ぎ落とされたあとの沈黙を一篇の詩のように読むことが、私にもできるだろうか。

信仰について

「信心」は素晴らしい発明だ
諸君らの眼が見えている限りにおいては
だが万が一に備えて
顕微鏡も用意しておきたまえ

（185）

*

天国が医者だって?
なんでも癒して下さるって?
死人に飲ます薬が
どこにある

天国は銀行だって?
俺たちが借金を背負っているだって?
憚りながらそういう取引には
身に覚えがございません

（1270）

＊

信心が渡るこの吊り橋は
危険極まりない
どんな橋よりもゆらゆら揺れて
それでいてどこよりも混み合っている

神様と同じくらい古い橋だ
それもそのはず　神様自身がお作りなさったそうな
羽目板を点検するために息子を遣わして
安全宣言を出されたそうだが……

＊

もちろん神さまは存在しているわ
この沈黙のどこかに
じっと隠れていらっしゃる
私たちの眼が節穴だから見えないだけよ

（1433）

最後の瞬間のお楽しみ
愛情のこもった待ち伏せ
私たちひとりひとりを喜ばせるために
神さまは不意打ちを下さるおつもり

けれどもしそのびっくりさせ方が
あんまり真に迫っていて
私たちがきゃっと嬉しげな悲鳴をあげたまま
死の凝視に凍りついてしまうとしたら

お楽しみの代償は
高過ぎやしないかしら
神さまのおふざけもいささか度が過ぎていると
言わざるを得ないでしょうね

（338）

*

いつかは祈りも尽き果てて
乞い続けていた唇が
ついに希いの叶わぬことを知るときがくる
「汝、……するべからず」の剣の方がまだ耐えられる
「信者よ、今は忙しいから後にしてくれ」という
つれない返事に比べたら

（1751）

＊

いのちを作り出すのは簡単だ
神は年中なさっている
創造など神の御力にとっては
ほんのお遊び

だからいのちを奪うことも朝飯前だ
神は節約家であられるから
一瞬に生きるものなどに
永遠をお恵みになったりはしない

消されたかけた模様が泣き喚いても
神のご計画は粛々と実現される
——ここらへんにひとつ太陽を配して
——そっちからは人をひとり取り除いて

（724）

＊

その場限りで生きている人にとって
〈現在〉の意味とは何ぞや？
体裁を取り繕い　始終不満をこぼし　神を持たず
彼らは存在の一切を
〈瞬間〉の浅瀬に積みあげている
だが足だけは
〈永遠〉の奔流に浸かって
ほとんどもう流されかけているのである

（1380）

＊

もしも私が時の流れになって
人間がどんどん死んでゆくのを見たとしたら
きっと気が変になって自分まで死んじゃうと思うな
私って神様みたいに落ち着いていられないから

神様がむっつりしたお方でよかった
もしも正直に胸の内をお明かしになったら
すっごく傷つくでしょうね　花も羞じらうこの星の私たち
ぜーんぜん想われてないに決まっているもの

（345）

*

天国売リマス
エデンノ園内陽当良好
但アダム追放ニ伴ウ差押エ物件

（1069）

ディキンソンの詩を読んでいると彼女が神への信仰を巡って揺れ動いている様子が伝わってくる。
一方には厳しいピューリタンの因習があり、もう一方にはエマソンに代表される強烈な自我を核とした超絶主義があった。彼女は家族やクラスメートが次々と信仰告白を行なうなかでひとりだけそれができなかったという。それでいて最後まで既成宗教としてのキリスト教を「超絶」することもなかったようだ。

　私にはディキンソン自身の宗教観について語る資格はないが、ひとつだけ確信を持って言えることがある。それは彼女が神について書こうとしたとき、その根底に据えたものが熱狂でも絶望でもなく、ユーモアだったということだ。しなやかで慎み深い、人間だけに許されたユーモア。

　オーデンは「ひと気のないところで悦ぶことは／泣くよりももっと、もっと、むつかしい」（深瀬基寛訳）と書いたが、神やそれにすがる人間をからかうような詩を書きながら、ディキンソンにもほくそ笑むことがあっただろうか、白い鎧戸を閉め切った「ひと気ないところ」で。だがその微笑のなんという壮絶だろう！

第六章

魂は空を見上げ　黙って泥の外套を脱ぎ捨てる

エミリー・ディキンソン＊＊＊

死について

ぽろぽろと崩れてゆくの
一瞬では何ひとつ片がつかない
廃墟への道筋は
周到に準備されているもの

最初は魂に張った蜘蛛の巣
漂う埃の切片
車軸の奥のキクイムシ

ごく表面を被う錆……

滅びは形式　悪魔の所業は
焦らずに手順を踏む
最後の最後は　一気に墜落
誰も皆あっけない

＊

全部が一時にくるのではない
段階的な殺人——
グサリのあとで　生はなお生かされて
歓喜を腐らせてしまう

猫はネズミを弄ぶ
ほんの僅かに歯を緩め
ネズミが希望に爪を伸ばした途端に
嚙み砕く

（997）

生きてきたことのご褒美は　死ぬこと……
せめてひと思いに逝かせてほしい
半死半生のまま緩慢な溶暗を
じっと待ち受けるより

＊

自分の判決文はしっかりと読んでおこう
後でどんな誤解も生じないように
この眼で確かめておくのだ
とりわけ、あの極めつきの条項に定められた
日付、方法、および恥辱については――
それから陪審員の指示に従い
成仏に関する下りにも目を通しておくこと
予め魂を試練に馴しておいてやろう
最期のときになって恐怖に取り乱さないで済むように
死と魂が旧知のごとく

（762）

落ち着いて対面し、挨拶を交わし
そのまま何事もなくすれ違って
一件落着と相成るように……

＊

死ぬのは怖くないわ
生きていることの方がよっぽど辛い
死って　扉の向こうに隠された
秘密の小道みたいなものよ

南に棲む鳥たちは
冬が霜を降らす前に
暖かい土地へ移ってゆくけれど
人間という鳥はぐずぐず居残ってばかり
吝嗇な農家の軒先で
震えながらパンのかけらをねだっている

（412）

すると見るに見かねた優しい雪が
私たちの翼を終の住処へ連れていってくれるのよ
（335）

＊

死とは
魂と塵の交わす対話
「消滅せよ」と言う死に、魂は
「お言葉ですが、私には別の計画があるのです」
死は耳を貸さない　地底から急かし続ける
魂は空を見上げ
黙って泥の外套を脱ぎ捨てる
不死の証に
（976）

＊

撃たれた鹿ほど宙高く跳びあがるもの
猟師からそんな話を聞いた

死の瞬間の恍惚……
そのあとに残された叢の静けさ！

砕かれて岩は清水を滴らせ
撓められて鋼は弾ける
結核の熱に浮かされてこそ
頬も奇麗に染まるというもの

苦しみは歓喜という鎧を纏って
用心深く肌を隠す
流れる血を他人に見られて
「あら、大丈夫？」などと言われぬように

（165）

＊

死んでゆくひとの眼を見ていた
その眼が探しものでもするかのように
部屋のなかをぐるぐる見回し

そのうちどんよりと曇り
やがて霧に包まれ
それから鑞で固く閉ざされるその一部始終を
最期にあの眼は何を見ていたのだろう
あんなにもうっとりと？

＊

瀕死の虎が水を欲しがっていた
私は砂漠をさすらって
岩から滴る清水を見つけ
両の手に受けた

虎は眼をかっと見開いたまま死んでいた
けれどまだ待ち焦がれ続けていた　私には見えた
虎の網膜に焼き付けられた幻影
水を差し出す私の手！

（547）

間に合わなかったのは私のせいではないし
私が駆けつける前に息絶えたのも
虎のせいではなかった
虎はただ死んだのだ　無言で横たわる事実として

（５６６）

＊

蠅の羽音が聴こえたとき俺は立派に死にかけていた
部屋を満たす静けさは厳かに深く
嵐の合間の静まり返った
大気を思わせた

俺を看取る連中の涙もすでに涸れはて
喘ぎは平静を取り戻し
さあ、いよいよ本番――と思ったまさにそのとき
大将がおいでなさったというわけだ

遺言もしたため　形見分けも済まして

後顧の憂いひとつなく
あとはもう安らかに死ぬばかりというときになって
蠅に邪魔されるとはなんたる不覚！

清らかな永遠の光と俺の間に
蠅奴は青い落ち着きのない羽音を撒き散らし
――と、そのとき不意に窓が滲んで
俺の眼は闇に沈んだ

（４６５）

*

死の翌朝の家の
大掃除は
この世で一番
厳かなもの

魂を掃き清め
愛を仕舞う

（1078）

永遠の前に進みでるまで
もう用はないから

＊

あたしがぐずぐずしていたもんだから
先方から迎えにきてくださったの
馬車の座席にはあたしと死のふたりっきり
馭手席では不死が手綱をとっていた

のんびりした旅　死は急ぐなんて考えもしないのよ
そのおっとりとした上品な物腰を見ていると
必死になるとか　楽をしたがるとかが
みっともなく思えてくる

あら、学校　いまは休み時間なのね
子供たちが輪になって　くんずほぐれつ遊んでる
それから畑　麦の穂がみんなでこっちを見ているみたい

そしてあたしたちは夕陽の前を駆け抜けていった

いいえ、そうじゃないわ、遠ざかっていったのは太陽の方
草の葉の先で震える夜露が……凍って
あたしのナイトガウンはいつの間にかガーゼに変わり
肩掛けは白い骸布と化していた

さあ、ようやく馬車が止まったと思ったら
お屋敷は　土饅頭そっくり
屋根は地面すれすれで
軒先は土のなか

変なものねえ、あれからもう何世紀も経つっていうのに
まるで昨日のことのように思えて仕方ないのよ
馬車を引く馬たちの鼻先が
永遠を目指していると知ったあの一瞬

（266）

＊

なんなのよ、このホテル？
こんな真夜中に
ようやく辿り着いたと思ったら
誰もいないじゃない
勝手に入らせてもらうわよー
ちょっと見て、この部屋！
暖房利いてないし
ミニバーだって空っぽじゃん
あら、霊媒師！　ここの支配人ですって！
じゃお伺いしますけど
地下で騒いでいる人たち、なんなんですか？

（115）

＊

私は美のために命を失いました
葬られたかと思うまもなく

今度は真実のために命を失ったひとが
隣の部屋に寝かされました

その人は小声で訊ねました「どうしてここに?」
「美ゆえに」私は答えました
「私は、真実ゆえに。ふたつは同じもの。
私たちは、では兄と妹だ」その人は言いました

そこでふたりは兄妹として
夜通し壁越しにお話ししました
やがて苔が唇に届き
ふたりの名前を覆い隠してしまうまで――

(449)

＊

ほらほら、これがわたしの亡骸よ
この細い脚でうろうろ歩きまわっていた
ね、棺の鋲はびくともしないでしょ

留め金だって持ち上げられない

氷のような額を撫でてやってよ（よく熱を出してたわ）
海藻みたいな髪の毛にも触ってあげて（気持ち悪いの我慢して）
指なんかかちんかちんに固まっていて
指ぬきひとつ嵌められやしない

窓辺の蝿が鈍い唸りをたてています
汚れ窓から射しこむ陽光は威風堂々
怖いもの知らずの蜘蛛は天井からぶら下がり
怠惰な主婦は今この瞬間も野原でお昼寝しています

（187）

＊

百年が経ち
その場所を誰も知らない
かつてのたうちまわった苦しみは
強者どもが夢のあと

雑草が我が物顔に生い茂り
見知らぬ人が散歩する
老いた死者らの
孤独な正字法の綴りのなかを

野生の直感が
ひとの記憶の落とした鍵を拾い上げ
夏の野を吹き抜ける風が
あの道を思い出す

（1147）

ディキンソンは執拗に死についての詩を書いてみせる。死に至る過程、死の瞬間、そして死後の世界を、あるときは他の人間や獣に託して、またあるときは自ら死を演じながら。彼女は死を怖れつつ、死に魅せられている。死んでゆくひとの眼を覗きこむ彼女の眼差しの、ぞっとするほど冷やかな熱狂。まるで研究に没頭する病理学者のようだ。死について書く彼女の言葉は、遺体解剖に用いられるメスであり、顕微鏡であり、ホルマリン溶液だ。
敬虔な信者を装って、死を苦しみに満ちた現世からの解脱であり永遠との合一であると書いてみても、彼女のなかのリアリストがそれを信じない。どんな解釈も拒んでただごろんと横たわる事実としての死が、かっと眼を見開いて息絶えた虎の姿をまとって現れて、キレイごとを嘲笑う。彼女はむしろうっとりと土のなかで腐ってゆく自分自身の亡骸に思いを馳せる。

現実との直接の交渉を敢えて拒んで、自分の内面世界に詩の王国を樹立しようとする者の、それは宿命なのかもしれない。魂の迷路の暗がりを、言葉を杖に探っていけば、誰でも必ず死の方へ近づいてゆく。どん詰まり(デッドエンド)としての死ではなく、滾々と混沌のエネルギーの湧きいずる、根源としての死の方へ。

唐突にアンネ・フランクのことが思い浮かぶ。死の手によって閉ざされたカーテンの隙間から必死で生の光を覗きこんでいた少女の瞳が。自ら閉じきった鎧戸の奥で死を覗きこんでいたエミリーと、それは鏡像のように対照的だが、〈書く〉という心棒がふたりを繋いでいる。その後ろ姿は歳の離れた姉妹のようだ。

注　底本には、Emily Dickinson *Dichtungen* Dietrich'sche Verlagsbuchhandlung, Mainz, 1995 の英独対訳版を用いました。

第七章　暗い森のなかの発端

ダンテ『神曲』地獄篇 *

第一歌

人生のちょうど折り返し地点でのこと
眼をさますとそこは暗い森のなかなのだった
いつどこで、俺は道を間違えたのだろう？

そのときのことはどうもうまく説明できない
森は荒涼というか暗澹というか殺伐というか
ほら、思い出しただけでもこんなに鳥肌が

とにかく悲しい場所だった、死んだ方がましなくらい
けれどその旅の幸福な終わりについて話そうとするならば
何も端折らずすべてを語り尽くさなければならないだろう

それにしてもどうしてあんなところへ迷いこんだのか
あの頃の俺は無闇矢鱈と眠かった、眠くて眠くて、
気が狂いそうだと思ってるうち足元が狂っちまった

それでもどうにか谷間の森を抜け出して
山の麓まで辿りついたとき、俺は
初めてイヤーな予感を味わったのだ

山の頂きを振り仰げば今しも夜明け
山肌のほんのりと染まって　お日さまとは
なんと有り難いもの、人の心に染みるもの

思わず安堵の吐息をついたっけ　夜の間に

なみなみと胸にたまった恐怖の湖が
　みるみる水位をさげていくかのよう

早く逃げ出したい気持ちを抑えて　俺は後ろを振り返り
　不気味な森をしげしげと眺めなおした
　なにを呑気な真似をと思われようが

嵐の海で溺れかけた男が砂浜に引き上げられて
　ハアハア息を切らせながらも、思わず
　荒れる波間を振り返るようなもの

それからいやがる左足をひきずりながら
　俺は荒れ果てた斜面を登り始めた　というのも
　我が左足はまだ浮世に未練たっぷりだったから

とそのとき、ちょうど坂が険しくなるあたりの岩陰から
　一匹の豹が飛び出してきたではないか

痩せて素早い身のこなし　毛皮に斑点

俺がこっち向けばこっち　あっち向けばあっち
豹は行く手を通せんぼ　俺は泣く泣く
今来たばかりの道を引き返す羽目に

朝はまだ明けたばかりで　東の空には太陽が
星を引き連れ昇ってゆく　あれはたしか牡羊座
この世の一番始めにも　瞬いていたという光

神が宇宙に息を吹きこむさまが眼に浮かぶ
清らかな　ものみな芽吹く春の朝　やっぱり
勇気をふるってあの豹の脇をすり抜けようか

卑しげな斑の毛皮の獣をば　きっと睨みつけ
いざ、と思った途端希望は恐怖に後戻り
今度はなんとライオンが姿を現したのだ！

ライオンは俺に向かってまっしぐら
　頭を擡げ、空腹に猛り狂って飛びかかる
　あたりの空気までがびりびりと震える

と、お次はそこへ牝狼が！　なんやねん君たちは？
　痩せこけた身体から滲みでる貪婪さ
　一体何人ヒトを喰ってきたことやら

その姿を見たとたん膝から力が抜けて
　俺はへなへなと尻餅をつき
　上を目指す望みも尽き果てた

こうしてダンテの旅が始まります。時こそ西暦一三〇〇年きっかり、復活祭直前の聖金曜日の夜明けです。現実のダンテはこのとき当年とって三十五歳、男盛りの仕事盛り、中年の真っ只中。しかし好事魔多しとはよく言ったもので、ダンテは政争に巻きこまれています。欠席裁判による判決は、最初は二年間の国外追放だったのが、やがて火あぶりによる死刑へと引き上げられ、ついにダンテは生涯故郷フィレンツェの土を踏むことができなくなるのです。
『神曲』はそんなダンテの「中年危機」を、アレゴリーとドラマに託して追体験してみせた物語。たとえばここに登場する三匹の獣、豹とライオンと牝狼には、精神と現実のレベルにおける大々みっつの悪が重ねられているとか。すなわち、

	精神世界	現実世界
豹	劣情	フィレンツェの政敵ゲルフェン党
ライオン	驕り	フランス軍
牝狼	貪欲	ローマ法皇（Boniface VIII）

まさにダンテ絶体絶命。とそこへ思いがけないことが起こります。

坂を駆け下りようとした俺の前に
ひとりの男が姿を現した　その輪郭がぼんやりと
滲んでいるのは　長い間黙りこくっていたせいか

荒れ地に佇む影に向って俺は叫んだ

「助けてくれ、この俺を哀れに思って！
あんたが死者であれ、生者であれ」
「今は生きてはおらんなあ、昔はともかく」男は答えた
「ついでに言うと父母はランバルディ人
ふたりともマントヴァ生まれなもんで。
かくいうわしは詩人であった。炎に包まれ燃え上がる
トロイアから船出した正義の人、アンキーセースの
息子を歌ったのがなにをかくそうこのわしじゃ」
「えーっ！ってことはあんた、まさかウェルギリウス？
滾々と迸る言葉の泉、ザ・キング・オブ・ポエット」
俺はのけぞらんばかりになってそう言った
「いや、まじで、大ファンなんですよ
もちろんお作はひとつ残らず読ましていただいとります。

読めば読むほど味が出る……どうか、お助け下さい！

私が詩を書き始めたのはあなたの詩を読んだからこそ
そしてひとかどの詩人として名を成すことができたのも
ひとえにあなたを追いかけ、模倣に模倣を重ねたおかげ

あそこ、あのおぞましい牝狼、あいつが襲ってきおるのです
おお、名高き聖賢よ、我を絶望の淵より救いたまえ
我が身の血管の、なべて恐怖に充たされてありければ」

「カッコつけんでよろし。普通に喋り」天才詩人は答えた
「他の道を行く方がええなあ。急がば廻れじゃ、
この荒野から脱出するにはそれしかないぞよ。

あの牝狼、お前さんが怖がるのも当然、これまで
誰にもこの道を通したためしはないからね、
無理に通ろうとする奴みんな喰われたもんね。

生まれつきヘンタイで性悪なんじゃ。
　食べても食べても満足することがない、逆に
　食べれば食べるほど腹がすくという浅ましさ。

しかも淫乱、相手構わずやってやって
　もうやりまくる、グレイハウンドだけじゃ
　あの牝狼をやっつけることができるのは。

お若いの、わしについておいで、
　命が惜しければ。わしがガイドとなって
　永遠の夜の世界を通り抜けさせてやろう。

お前はそこで聴くだろう、身の毛のよだつ断末魔、
　そこで見るだろう、永劫に悶え苦しむ死者の群れ、
　そうしてお前は第二の死とはなにかを知るだろう。

だがそこを抜ければ　業火に身を焼かれながらも
歓喜とともに復活を待ち続ける人々がいる
いつまでも、いついつまでも、いつまでも。

第二歌

地獄巡りの旅に、ダンテは準備万端。ところが日が暮れるにつれて、だんだん自信がなくなってきます。死者の国へ行って無事帰ってきたものと言えば、ウェルギリウスの代表作の主人公にしてローマ建国の祖であるアイネイアースとか、かの聖人パウロとか、立派なひとばかりではないですか。俺なんかが行ったら、とんでもないことになりはしないか……。

そうこうするうち春の日は暮れて
生きとし生けるものみな昼間の仕事から
解き放たれて、ただひとり俺だけが

恐ろしい旅と、そしてそこで学ぶことになるという
「憐れみ」に、心の準備を整えていた

その一部始終こそこれから始まる物語

天のミューズよ、なけなしの俺の才能よ、
頼んだぞ、俺の見て心に刻んだことを
切れば血の出る言葉にさせてくれ！

さて俺はこう切り出した「私を導きたまう詩人よ、
旅を始めるまえにひとつお伺いしたいのですが、あの、
俺っちにも天の高みを目指す資格があるんでしょうか。

センセイのお書きになったトロイアの英雄アイネイアースは
うつせみの身でありながら冥界に下り五感のすべてを
研ぎすますことで不死の国まで辿り着いたのでしたね。

それからかの「選ばれし使徒」パウロも、死者の国へ
降りることによって信仰を確かなものにし
魂の救いの道へと歩み始めたと申します。

しかし俺には何にもない。誰が許可したわけでもない。
俺はアイネイアースでもパウロでもありません、
自他ともに認めるいたってフツーのひとりの男。

そんな俺が〈旅〉を始めてしまったら、
世間の笑い者になるのがおちではないか、
ねセンセ、言ってる意味分かるでしょう?」

「要するに」
と、この威風堂々たる亡霊は答えた、
「ビビっちまったってことじゃろう、

ならばわしがここへ来た理由、
お前に憐れみをかけたそもそもの
事の発端を聞いて安心するがよい。

リンボ（地獄の辺土）で干されておったこのわしを
あるご婦人がお呼びになったのだ。その方のなんと見目麗しく
清らかなこと！　もうなんでもお申し付けを、とわしは請うた。

どんな星よりも眩しい眼（まなこ）でわしを見つめ、
静かで優しい天使のような声音を発して
ご婦人はお国の言葉でこうおっしゃった。

「高貴な精神、マントヴァの紳士よ、
そなたの名声は津々浦々に行き渡り
決して絶えることはありませぬ。

私のお友だちが荒れ野で道に迷っているの。
潔く世俗から縁を断ったものの、行く手を
幾度も阻まれて、恐怖のなかを行きつ戻りつ、

放っておけばどんどん深みにはまってゆくでしょう、

天国にいた私の元に届いた報せによれば、
もう手遅れになってしまったかもって。

さあ、どうか、あなたの名高い言葉の力と
そのほか必要ならばどんな手段を使ってでも
あの人を助けて頂戴。それが私を慰めもする。

私の名はベアトリーチェ、お願い今すぐご出発を。
私もはるばる天国からここまでやってきました、
愛につき動かされて、あなたに頭を下げるため。

天国に帰って主のみもとに参ったなら
あなたをほめ讃えること、お約束しますわ」

ベアトリーチェがウェルギリウスに語るには、道に迷ったダンテに憐れみをかけたのは、誰あろう聖母マリアご自身。マリアさまはかの慈悲深い聖女ルチアにダンテ救出を命じられ、聖女ルチアはベアトリーチェのもとに馳せ参じ、神聖なる指令をリレーしたという次第。一方ウェルギリウスは地獄の第一層、リンボと呼ばれる場所に居たのですが、ここはキリストが降誕する以前に生まれたため天国に入る資格こそないものの、高貴なる精神の持ち主にあてがわれた、言ってみれば地獄のなかの特例区。聖女ルチア経由で聖母マリアからダンテの危機を聞き知ったベアトリーチェは、自らそのリンボまで降りてきたというわけです。

夜露に濡れてうなだれた
　可憐な花が、朝の光に蘇り
　一途に花弁を広げるように

一度は萎えた力が身体中に満ち溢れ
心臓から迸る熱い血潮に促されて
俺は恐怖を逃れた男の声を放った

「ああ、愛しのベアトリーチェよ！
　そして詩人よ、あなたまでが打てば響くとばかりに
　カノジョの言葉に応えて駆けつけてくださったとは

感謝感激雨霰　不肖ダンテ
心の迷いよ恥じて死ね、今あらためて
旅をやり遂げる決意をお誓いします。

さあ出発だ、出発だ、俺たちふたりは一心同体
あなたは私の導き手、いや恩師、いやいやご主人様！」
俺は夢中で口走り、死んだ詩人はすーっと動き始めて、

かくして波瀾万丈の旅が始まった

第八章

地底を漂う恋人たち

ダンテ『神曲』地獄篇＊＊

第三歌

旅を始めたダンテとウェルギリウスは、かの有名な「地獄の門」の前に立っています。

われすぎて愁の市へ
　われすぎてとわの痛みへ
われすぎてほろびし民へ＊
義に駆り立てられた造物主が
　至高の叡智と原初の愛を以て

聖なる遍在から私を作った

私の前に立つことができるのは
永遠だけだ、そして私は永久に滅びない
私を通る者よ、全ての望みを棄ててゆけ

門のてっぺんに黒々としたためられた
そんな文句を読んで、思わず俺は唸った、
「センセイ、いくらなんでもこれは殺生」

センセイは余裕綽々おっしゃった、
「こっから先は、わしを完全に信頼すること。
ちらっとでも、怯えに隙を見せてはならんぞ。

先刻から言っておるように、ここは
魂の光明を奪われて
嘆き悲しむ死者の国」

ふたりは門を通り抜け、地獄の玄関口までやってきました。ここは「どこでもない場所」、生前、臆病にも旗色を鮮明にしなかった者たちが、天国にも地獄にも入れてもらえず閉じこめられているところ。みんな丸裸で、蚊や蜂に刺されながら、もの凄い速さでぐるぐる走りまわっています。その先頭にあって亡者どもを率いているのは、皮肉にも一枚の旗。地獄では、生前の罪（ここでは「旗色を鮮明にしなかったこと」）が罰の道具に使われるしきたりなのです。きょろきょろと辺りを見回すダンテに「口を利いてはいかんぞ。先を急ごう」とウェル先生。ふたりは三途の川のほとりに立って、渡し船の船頭、恐ろしい形相のカローンを見つけます。頭上に吠え狂う嵐の激しさにダンテ思わず気を失う。

第四歌

さて、お次は地獄の一丁目、またの名をリンボ。生前洗礼を受ける機会のないまま亡くなった霊たちの集う場所。キリストの前に生まれてきてしまった者や、異教徒のなかでも罪を犯さなかった者たちが、責め苦を味わうこともなくひっそりと暮らしています。ウェル先生の語るには、

「この者たちは信じるべき神を信じなかった

かく言うわしも、そのひとりなのじゃが
ほかは清廉潔白の身でありながら、ただその罪ゆえに、
神に見捨てられた、そしてそれだけがわしらの罰
希望を奪われ、憧れに身を焦がして生きてゆく」

話している間も足は休めず、俺たちは
森のなかを歩き続けた　森は森でも
ここは死せる魂の立ち並ぶ冥途の森

失神から眼を醒まして間もなくのこと
俺は前方に炎を見つけた
闇に揺らめく光の半球を

そこまではまだかなりの距離があったが
いかにも高潔そうな霊たちが
集っているのが見えてきた

「なにやらかぐわしい芸術と科学の薫り、
　センセイ、あそこで他の霊とは一線を画して
　別格扱いされているのは誰なんです？」

師はのたまいて、「あの方々の名声は
　地上でもいまだに鳴り響いておるはずじゃ
　天国でも圧倒的な人気を博しておるでな」

そのとき誰かがこう言う声が聞こえた、
「我らが大詩人をお迎えしようぞ、
　彼の霊魂が戻ってきたようだ」

声が止みあたりはしんと静まりかえる
と、四つの堂々たる幽霊がこっちへ近づいてきた
その顔には喜びの色もなければ悲しみの色もない

センセイは俺に向かって説明なさった、
「手に剣を持っとるのがおるじゃろう、
いかにもリーダー然と他の三人を率いる影、

あれが世界最高の詩人ホメロスじゃ、
その隣におるのが風刺文学の神さまホラティウス、
三人目はオヴィディウス、そして最後がルカヌス、

いずれもひと言で呼ぶことのできるあの尊い名称
「詩人」の肩書きを持つ方々ばかり、そのよしみで
わしも仲間に入れて貰っとる、有り難いことだで」

こうして俺は、世界中の詩人の頭上に
鷲のごとく君臨する、最高傑作の作者たち、
超エリート詩人集団に出会ったのだった

なにやらひそひそ話し合っていたかと思うと

彼らは俺の方に向き直り挨拶の身振りを示した
それを見て我が師はニヤリと微笑んだような……

まるで夢のような栄誉が待っていた
なんと彼らは俺を自分たちの仲間として迎え入れ
俺はグループ六番目のメンバーと相成ったのだ！

自分で勝手に書いたこととはいえ、よかったねダンテ、おめでとう。

第五歌

地獄の二丁目は愛欲地獄。その入口には冥府の裁判官ミーノースが、連れられてくる罪人どもを待ち構えています。

ミーノースはえげつない形相で歯を剝いて
罪人ひとりひとりを一瞥すると
その長い尻尾を巻いて裁きを下す

どういうことかと説明すると、罪を犯した魂が
ミーノースの前ですべてを告白する
するとこの罰の専門家はたちまち

それが地獄のどの階層に該当するかを判断して
尻尾を自分の身体にくるくる巻き付けるその回数で
罪人が堕ちてゆくべき地獄の階を示すというわけだ

さて、ふたりが愛欲地獄のなかへ足を踏み入れますと、

苦しみの調べが俺の耳朶に奏でられ
あとからあとからすすり泣く声が
雨よ、霰よと頭上から降りそそぐ

あたりはまっくらくらのくら
嵐の夜の海もかくやと

茶色い疾風吹きすさぶ
地獄の嵐はやみません
亡者を渦に巻きこんで
罰の鞭打ちかき混ぜる

それぞれの地獄へ吹き飛ばされてゆく霊たちは
口々に金切り声を発して泣き喚き
全知全能の神に呪いを浴びせる

ここで罰せられているものたちは
それを欲しさに理性を棄てて
肉に溺れた男と女でありました

ウェルギリウスはダンテに愛欲七人衆を指し示します。すなわちそれは、息子を愛したアッシリアの女王セミーラミス、アイネイアースに棄てられて自らの命を捨てたカルタゴの女王ディードー、言わずと知れたエジプトのクレオパトラ、トロイのヘレン、トロイ王の娘に惚れて命を落とした英

雄アキレス、そのアキレスは殺すはヘレンは連れ去るはしたい放題の若者パリス、そしてイゾルテ
との道ならぬ恋の果てに重ねて切られたトリスタン。

古代の騎士と貴婦人たちの名を
センセイが呼ぶのを聞くにつけて
俺は貰い泣きにむせぶのだった

「センセイ、ほらあすこ、ぴったりくっついたまま
いかにも儚げに風に乗っているあのふたりと、
ちょっくら話をしてみたいのですが」と俺

師のたまいて「こっちへ来るのを待っておれ。
あのふたりを運んでいるものは愛、その愛に
呼びかけるなら、ふたりは答えてくれようぞ」

風がこっちへ吹き始めたとき
俺はふたりに声を張り上げた、「哀れな魂よ、

許されるなら、我等と言葉を交わしたまえ」

ちょうど鳩たちが、なつかしい
巣に戻りたい一心で、必死で翼を広げ
空の高みから舞い降りてくるように

ふたりはディードーの率いる群れを離れて
邪悪な大気を切り裂きこっちの方へやってきた
我ながら、俺の優しい声の威力や、恐るべし

「まあ、生きてるお方。お優しいのね、
こんなに寂しいところまで降りてきて下さるなんて
あたしたちは浮世を血で染めた罪人だっていうのに。

あたしたちが王様の友だちかなんかだったらねえ、
あなたを幸せにして下さるよう頼んで差し上げたのに、
こんなにひどい悪人を憐れんで下すったそのお返しに。

なんでも遠慮なく訊いて下さいな
包み隠さず話して差し上げましょう、
ほら、風が治まっている今のうちに。

ポー川が、いくつもの支流と合わさって
最後の安らぎの場所、海へとそそぎこむ
河口のほとりで私は生まれ育ったの。

愛って、ウブな心と見るとすぐに火をつけるもの、
このひとをあたしの美貌のとりこにしたわ　美しいのは
あたしのせいじゃないのに（ああ、思い出すだけで肚が立つ！）

おまけに愛って、愛されたものまで愛に駆り立てるでしょう、
あたしを物凄い力でこのひとに押しつけた
だからほら、今だって離してやくれない。

その愛があたしたちに不意の死をもたらした、
あたしたちを殺した者こそ、地獄の果てまで堕ちるがいい」
恋人たちの亡霊が俺に喋ったのはそんなふうなことだった

傷ついたふたりの霊が身の上話を終えたあと
俺がじーっと頭を垂れて黙っていると、
センセイが訊く、「どうかしたかい？」

やっとの思いで、溜息まじりに俺は答えた、「なんてこった
とろけるような甘い恋、身を焦がす愛の果てに
こんな苦しい地獄がふたりを待っていようとは」

それから俺は顔を上げ、ふたりに声を絞り出す、
「フランチェスカよ、さぞや辛かったろう、
憐れみが俺の胸を苛んで、涙が止まらぬ。

ひとつだけ訊かせておくれ、お前が切ない溜息を

零していたとき、愛はいったいどんな手を使って、
お前の奥深くに隠れていた欲望をおびき出したのか」

女の霊が答えるに「今、この苦しみのさなかで、
過ぎ去った日々の幸福を思い出すことほど辛いことは
ございません（あなたの先生もそれはご存知のはず）！

けれどもあなた様がそんなにも、あたしたちの
愛の、生まれたままの姿を見たいとおっしゃるのなら
申し上げましょう、ただし溢れでる涙の言語によって。

あの日あたしたちは退屈しのぎに、
円卓の騎士物語を読んでいた。騎士が恋に落ちる場面よ、
ふたりっきりだったけど、やましい気持ちはなかったの。

読んでいる間ふたりは眼を合わせては逸らし、逸らしては
また合わせ、頬は紅くなったり蒼くなったり。そのとき、

本のなかの一行がいきなりあたしたちを押し倒したのだわ。
ほら、あの有名なキッスの場面、待ちこがれた互いの唇を、
この世で一番有名な恋人同士が求め合うとき、
この人も（ね、今もあたしにべったりしょう）

あたしの唇にキスをしながら、ぶるぶると震えていたの。
だからいけないのはあの本よ、そしてあの本を書いたひと。
あの日、あたし達、あれ以上、もう本を読みはしなかった」

こうやってひとりが喋っている間、
もうひとりはさめざめと泣くのであった、その余りの哀れさに
俺は頭の芯がぼうっとなって、まるで死んだみたいに気を失い
亡骸同然に地獄の地面へ崩れ落ちたのだった

ダンテがここで語っておりますのは、ラヴェンナの領主の娘フランチェスカと、リミニの領主の

三男坊パオロの悲恋の物語。パオロには気性の荒い、畸形の兄があり、フランチェスカはもともとその兄と政略結婚させられたのですが、やがて弟パオロと恋仲に。それが夫にばれて、情事の最中に重なったまま斬り殺されたという次第。それで地獄に堕ちてまでも、くっついたまま風に飛ばされているのです。

詩人ダンテは実際にこのふたりを知っていたと申します。パオロとはフィレンツェ時代に政治を通じて、またフランチェスカとはダンテの放浪時代にその甥っこの屋敷に身を寄せたという縁で。一見ふたりに対するダンテの態度は同情と憐憫に満ちているかのようですが、実はそれほど甘ちゃんではなく、フランチェスカに対するひそかな非難を忍ばせているという説も。というのもフランチェスカが不義(それもただの不倫ではなく、義理とは言え近親相姦にあたるのですから)を働いた口実に持ち出している円卓の騎士物語、正確には「アーサー王伝説・湖のランスロット」ですが、原典では先に手を出したのは騎士ランスロットではなく、王女グィネヴィアの方なのです。フランチェスカはそれをちゃっかり反対に脚色してダンテに語っている。ということはフランチェスカとパオロの場合も、真相はフランチェスカがパオロを誘ったのだとダンテは仄めかしているというわけ。正直フランチェスカは恋に殉じたというよりも、火遊びのつもりが命取りになって頭に来ている。だから、ほら、パオロのことを「この人」と呼ぶだけで名前も口にしない、なんとなく濡れ落葉にくっつかれてうんざりしているような感じでしょう?

＊冒頭の三行は上田敏の訳による

第九章 絶対無分節深層世界、言葉の道行き

ダンテ『神曲』地獄篇＊＊＊

第二十八歌

さて前章は第五歌、地獄の二丁目で終わりましたが、娑婆のひと月の間にダンテとウェル先生は六つの階層をくぐり抜け、いよいよここは八丁目九番地、凄惨で血みどろの地獄絵図です。

俺がいま目の当たりにしている血と傷の
凄まじい光景は、どんなに明晰な散文をもってしても
とてもそのありのままを伝えることはできないだろう

筆舌に尽くし難いとはまさにこれ

人間の記憶そして言語というものは、
これほどの痛みを情報処理できない

かつてこの星で戦われたすべての戦で
手足を切り落とされ胸を貫かれた者を全員束にしてみても
この九丁目の血塗れの、地獄絵図の足元にも及ばぬだろう

ほら、この男の喉から屁をする穴にかけて
ざっくりと切り裂かれた哀れな有様を見るがいい
力任せにぶち割られた酒樽でさえこうはいかない

裂かれた股の間から、心臓その他の内臓もろとも
口から押しこまれたものはなんであれ
糞にしてしまう穢い管が垂れ下がる

その悲惨な姿を見ている俺に気がつくと
そいつはこっちを向いて、両手で胸をがばっと開き

こうのたまう「自分で自分を八つ裂きにしてやんの」

ここにいるのは組織を分裂に導いた罪に問われた者。いわば内部改革を試みた反体制者たち。そのなかにはキリスト教から飛び出して、イスラム教を創設したムハンマドの姿もあって、このあたり世が世なら、『悪魔の詩』を書いて死刑を宣告されたサルマン・ラシュディの二の舞になりそうですがそれはともかく、『神曲』地獄篇のなかでも最も有名な亡霊を描いた場面に移りましょう。

俺は見た、いまもまざまざと目に浮かぶ
ほかの亡霊どもと寸分違わぬ足どりで
首のない胴体だけが歩いてくるのを

そいつは斬り落とされた首の髪の毛を摑み
提灯を掲げる要領で片手にぶらさげていたが
生首は俺たちに気づくと「無念!」と呻いた

なんと自分の生首のまなざしで自分の足元を照らしているのだ
首と胴体とはふたつでひとつ、ひとりがふたつ

一体どうやって？　そのメカニズムは神のみぞ知る

俺たちのいる橋の真下までやってくると
そいつは生首を持った腕を高々と掲げて
俺たちによく声が聴こえるようにして、

こう言った「この残酷な懲らしめを見るがいい、
まだ息をしているくせに死者の国へ来た者よ、
これほどの苦しみが他にあるなら教えてくれ！

私がここにいることを地上の奴らに伝えておくれ
我の名はベルトン・デ・ボルン、未熟な王に
ろくでもない進言を奉った揚げ句がこの有様。

アブサロムとダビデ王とを仲違いさせた
アキトフェルの向こうを張って
父と息子を互いの敵に仕立て上げ

愛しあう者の絆を断ち切ったがゆえ
私は私自身の生命の源から断ち切られてしまったのだ、
つまりそれこそ、ああ、私をぶらさげているこの胴体。

これぞ地獄のアイロニー、娑婆の因果の成れの果て」

第二十九歌

たびたび立ち止まっては辺りを見回すダンテを、ウェルギリウスはせかします。「なにをきょろきょろしておるか。地獄に亡霊は付き物じゃろが。いちいち数えておったらきりがない。ここは一周二十二マイルもあるでな。今や月はちょうどわしらの足の下。早く行かねば夜が明ける。見るべき地獄はまだまだあるぞ」

やがてふたりは地獄の八丁目最後の第十番地（ボルギア）へ。あたりには体じゅうを瘡蓋で覆われ、血膿を流す病人たち。彼らは生前いかさま師。表面を取り繕って人を欺いた罰として、今は自分の皮膚を掻きむしる。その手の動きの素早いさまは「親方に叱られながら、馬に毛すきの櫛をかける厩の見習いのよう」であり、その爪が瘡蓋を引き剝がすさまは「おおきな魚の固い鱗をこそぎ取るかのよう」。爛れ腐ってゆく肉体から立ち昇る悪臭は「七月から九月にかけての熱さと湿気でむんむんの、マレムマ、ヴァルヂキアナ、そしてサルジニアの、病院という病院からすべての患者を掻き集め、ひとつのドブへぶちこんで、全員まとめて腐らせたかのごとし」。

ここでもウェル先生は、ふたりを取り囲む亡霊たちに向かって言い放ちます。「わしはこの生者を引き連れて、地獄を渡り歩くもの。この者にすべてを見せてやるつもり」。

なぜこれほどまでにウェルギリウスはダンテに地獄を見せることに執心するのか。そしてダンテはダンテで、阿鼻叫喚に怯えたり眼を背けたり失神したりしながらも、どうしてひたすら後をついてゆくのか。そうすることで、一体なにを期待しているのでしょう。

ここに描かれている地獄とはこの世の鏡、いわば〈反転された現実〉、ダンテは現実のある〈部分〉について詩を書くのではなく、現実そのものを丸ごとめりべりばりと地表から引き剥がし、表裏上下逆さまにひっくり返しながら、高々と虚空に掲げてみせる、それからその混沌たる現実を詩的原型とでも言うべき鋳型のなかへ一気に嵌め落とす、そんな〈持ち上げ〉と〈嵌め落とし〉の荒業こそが、ダンテにとっての〈詩〉に他ならない、〈地獄巡り＝巡礼〉とは〈全体〉を言語によって掬い取る行為の喩え、であればこそ、好むと好まざるとにかかわらず「全てを見尽くす」ことが必要なのだ――

いや、地獄とはダンテ自身の深層心理、人生の半ばで暗い森に迷った揚げ句、ダンテは文字通り自分の内面に「降りてゆく」のだ、という見方もあるでしょう。その場合、『地獄篇』に登場するすべての罪人はダンテ自身の抑圧された無意識であり、ダンテを導いてその無意識を水先案内するウェルギリウスとは、フロイト的な超自我というよりも、ユング的な老賢者、集合的無意識に宿る「悟性」のごときものである、即ちダンテはこの作品を書くことにより、矮小なる自我（エゴ）を超越して普遍的な自己（セルフ）へと至ることを目指した云々。

いやいやそういう近代的な見方ではなく、このダンテの生きていた中世という時代に身を置けば、〈地獄巡り〉すなわち〈道行き〉であることは一目瞭然、この世の苦しみ、己れの業を持て余した者共が、死に一足先だって浄土への往生を試みる、その決死の移動・越境こそ〈道行き〉、そしてそれは常に、ひとりがもうひとりを引っ張ってゆく二人ひと組の形で行なわれる、「一引き引いたは千僧供養、二引き引いたは万僧供養」、我が国における道行きの代表作『小栗判官』に喩えれば、中年クライシスでにっちもさっちもいかなくなって、精神的餓鬼阿弥と化したダンテが小栗、それを引いて地獄を突き抜け、文字通り浄土＝パラダイスへと向かうウェルギリウスは照手といった役回り。『わたしはあんじゅひめ子である』から始まって『河原荒草』『とげ抜き』に至るまで、一貫して現代の道行きを語り続けている詩人伊藤比呂美は言っている、「乗り物に乗る／移動する／／穴があいても／動いてさえいれば／手と足と身体だけは先へ出ていけるような気がする」と。

……ひとつの答を選ぶよりも、『神曲』という作品の根幹にかかわるこの問いを懐に抱えて、私たちもふたりを追って、地獄の八丁目最後となる、次のカントへ進むことにいたしましょう。

第三十歌

八丁目十番地、いかさま師たちの責め苦は続く。ここでは罰は皮膚の病がもっと内面に食いこんで、精神を錯乱させるに至り、亡霊たちは互いの首筋にかぶりつき、手足を引き裂きあっております。そのうちの一組、死んだ父親になりすまして自分に都合の良いように遺書を書き換えたジャンニ・シッチと、アフロディーテに唆されて正体を偽り父親と交わったミュラーが演ずる凄まじき取っ組み合い。その模様を詩人ダンテはこんなふうに語ってみせます。

太古の昔、ゼウスの妻ヘラがセメレーに
焼き餅焼いてテーバイの人々に八つ当たりしたとき
（ヘラのヒステリーの猛烈ぶりは代々の語りぐさ）

ヘラはセメレーの義理の兄アタマース王を狂気に追いやり
錯乱した王は自分の妻が両腕にひとりずつ
息子を抱いて歩いてくるのを見つけるや

「網を張れい、峠で見つけた牝ライオン

仔ライオンともども一網打尽じゃ」と叫びつつ
狂気の両手を、猛禽の鉤爪さながら差し伸ばし

息子のひとり、レアルコスのいたいけな身体を鷲摑むと
ぶるんぶるんとぶん廻し、岩に叩きつけて殺してしまう
妻は悲嘆にくれてもうひとりの息子を抱いて身投げする

そしてまた、運命の女神テュケーが、度し難く高慢な
トロイア人の頭上にその巨大な輪を叩きつけ
彼らの王と王国を木っ端微塵に打ち砕いたとき

哀れ、トロイア王女ヘカベーは女奴隷と成り下がり
愛娘ポリュクセネーを人身御供に殺されて
悲しみの最中今度は息子ポリュドーロスの

亡骸が砂浜に打ち上げられているのを見つける
もはや正気を保つ術はなく、犬のように吠えるだけ——

悲しみのあまりの重さに心は千々に砕け散ったのだ

だがテーバイであろうとトロイアであろうと、
俺が今見ているこのふたりの亡霊ほどの凄まじさで
狂人が人間や獣に襲いかかったことはなかっただろう

ふたりと来たらば素っ裸で、怒りに青ざめ
走り回り、手当たり次第あたりの物に食らいつく
まるで小屋を破って飛び出してきた豚にそっくり

ふたりの亡霊の取っ組み合いの様子を語るのに、ダンテは八段落二十四行を費やして、天上の神話と地上の悲劇を担ぎ出します。なんとスケールの大きな喩え、そしてなんという言葉の蕩尽！

こういう条りを読むにつけ、『神曲』に関する極めて当たり前のことをあらためて思い知るのです。それは、ここにある地獄が、血の一滴から炎の一筋に至るまで、ことごとく言葉だけでできているという事実。まさに、言葉、言葉、言葉。

そしてその言葉は書き言葉、すなわち文字だけではありません。『神曲』には話し言葉、つまり〈声〉も溢れています。

地獄の亡霊たちはダンテの話すイタリア語の、フィレンチェ訛りを聞きつけては、地上の故郷の様子を聴きたがりますし、逆にダンテが亡霊たちに犯した罪を問いかけるとき、嫌がる彼らの口を開かせるのはダンテの話す言葉の力にほかなりません。またユリシーズが登場する場面（第二十六歌）では、ギリシャ語の話せないダンテに代わって、ウェルギリウスが問答を引き受けるという具合。

つまり『神曲』においては、現実に存在する人間・事物と神話やギリシャ悲劇を始めとする文学作品内の世界とが、〈声〉によって統御されている。それぞれの話者が語る〈声〉にリアリティがあるならば、いわゆる「現実」と「虚構」はまったく同じレベルの上に並べ置かれる。〈声〉あるいは〈言霊〉だけが唯一の重力であり、通貨であり、実在の徴であるような空間、それが『神曲』であり、ダンテが命がけで見（聴き）極めようとする「地獄」だと言うこともできるでしょう。そしてだからこそ、「究極の詩人」であるウェルギリウスがダンテの導き手として選ばれたのだと。

このカントの終わりの部分、贋金作りの男とギリシャ軍のスパイとしてトロイア人を欺いたシノンとの、丁々発止の口喧嘩、それに聞き惚れる巡礼者ダンテをウェル先生が厳しく諫める場面の、詩人ダンテの韜晦に満ちたレトリックにも、『神曲』における〈声〉のあり方が特徴的に表われております。

俺がこのふたりの遣り取りに聴き入っていると

我が師曰く「これ、前に向かって進まんか、これ以上
ぐずぐずしとると、わしの我慢も尽きてしまうぞ」

その声にははっきりと怒りの調子が聴き取れた
俺は恥ずかしさでいっぱいになって先生に向き直った
今でも思い出しただけでいてもたってもいられない

眠りながら危険な目にあった夢を見ている男が
それが夢であることに気づかずに、夢のなかで
それが夢であればいいと願っているもどかしさ

そのときの俺がそうだった、恥ずかしさに声もなく
先生のお許しを乞いたいと願いながら、実はもう全身で
そうしているにもかかわらず自分ではそれに気づいていない

「もっとひどい失敗を冒したとしても
そんなに自分を恥じんでよいよ」先生はおっしゃった

「もうくよくよしなさんな。この件はこれでおしまい。

だがこれから先ああいう埒もない口喧嘩に
　再び出くわすことがあったなら
　わしの顔を思い浮かべるがよい

あんな言葉の無駄遣いにうつつを抜かすは、愚！」

第三十一歌

「夜にも足りぬ、昼にも足りぬ」薄暗がりのなかを歩いて、ふたりはいよいよ地獄の最果て、九丁目へと向かいます。前方から聴こえてくるのは、雷鳴を掻き消してしまうほどの大音量の、不気味なラッパの響き。

音のするほうへ眼を凝らすと、やがて
　犇めきあって聳え立つ高い塔のようなものが見えてきた
「先生」と俺は言った「あれに見えるはどこの街です？」

「あんまり遠いところから、暗がりを見透かそうとして
お前さんの眼は真実と想像を取り違えってしまったね」

聳える塔と見えたものは、実は巨人たち。まず最初に姿を現すのは、旧約聖書の登場人物、ノアの曾孫で、天に届こうとしてバベルの塔を建て、揚げ句の果てにそれまでたったひとつだった言語を滅茶苦茶にして、異国の間で言葉が通じないようにしてしまったニムロデ。いまでも「ラフェール・メイ・アメッチ・ザービ・アルミ！」などとハナモゲラ語を口走り、ダンテたちの話すことも理解できません。その次に現れるのは、ギリシャ神話のなかの巨人たち。自らの巨大さを過信した彼らは、オリュンポスの神々に戦いを挑み、天上はおろか地上をも追われ、地獄の一番奥に閉じこめられているのです。

旧約聖書のニムロデもギリシャ神話の巨人たちも、天の神に張り合おうとした点では同じ穴の狢。地獄の底にあるものが、欲望に負けて犯す罪ではなく、自信過剰の高慢さ故に犯す罪であることは、誠に興味深いこと。その辺りのことを、ダンテは次のように述べています。

自然というのはなんとよくできているものだ、
こんな恐ろしい巨人を途中でちゃんと根絶やしにして

軍神アレースが人類を滅ぼさないようにしたのだから

しかもその一方で、象だとか鯨だとか
害のない巨獣には手をつけなかったところを見ると
自然の公正さと注意深さが益々明らかになるだろう

なぜなら（象や鯨と違って）知性のあるものが
野蛮な力と邪悪な意志を宿したならば
もはやどんな人間の手にも負えない

ダンテの死後七百年を経て、二つの世界大戦を引き起こし、いまなお有り余る核爆弾を弄ぶ人類には、耳の痛い言葉ではありますまいか。

さて地獄の八丁目の崖っぷちに達したふたりは、ウェルギリウスが掛け合って、巨人のひとりアンタイオスの掌に載せられて、キングコングに助けられるハリウッド女優さながら、地獄の底の底へと降りてゆきます。

第十章　悪魔の臑毛を攀じ登る

ダンテ『神曲』地獄篇 ＊＊＊＊

第三十四歌

「地獄篇」最後の章は賛美歌のパロディで幕を開けます。Vexilla Regis prodeunt は紀元六世紀、ある司教によって作られた歌詞で「王の御旗ぞ進軍せり」の意味。その最後にダンテは inferni、すなわち「地獄」のひと文字を付け加えるのです。

「王の御旗ぞ進軍す、地獄へね」
センセイは言った「いよいよ来たぞ。しっかり前を見るのだぞ、じきに奴が姿を現すでな」

遠くの方に風車がひとつ、大きな羽根を廻してた
濃い霧が地表に沈み始めたせいか、
それとも日の光が暮れてきたせいか

俺にはそんなふうに見えたのだった
とともに一陣の疾風がまともに吹きつけて来て、
俺は唯一の防壁である我が師の背中に身を寄せた

足元の氷には封じ込められた亡霊たち
（今こうして書きつけるだに背筋が凍える）
奴らの姿は氷のなかに囚われた藁屑を思わせた

ある者は横たわり、ある者は斜めになり、
頭を上にしてる奴、足が上になってる奴、なかには
頭を爪先にくっつけて、弓のように撓っている奴も

前章ではダンテに訊かれても、勿体ぶって「そのうちに分かるって」としか言わなかったウェル

先生、ついに前方を指差してこう宣言します。

「これが噂の大魔神、その名もディスじゃ、そしてここそ
　お前がありったけの勇気を奮い起こさねばならない場所」

おお読者よ、なんというしばれる寒さ
どんな？　などと訊く勿れ、俺には書けない、
この感覚を言い表す言葉など見つけられない

俺は死んではいなかった——かと言って生きているわけでもなかった！
もしも想像できるなら、どうか想像して欲しい
命も死もいち時に奪われた哀れな俺の有様を

あらゆる嘆きのもとであるこの王国の支配者は
氷のなかに胸の半ばまで埋もれてつっかえていた
俺の背丈は巨人どもにはとうてい及ばなかったが

この大悪魔の腕たるや巨人の背よりも長い
その背丈は腕の長さに見合うものであったから
全体どれくらいの巨大さなのか推して知るべし

かつて天使のなかでも最も美しかったこの悪魔
創造主に叛乱を企ててかくも醜くなりさがり
今やあまねく世界に悲嘆を撒き散らしている

だがもっと驚いたのはその身体を見上げて
頭を見たときのこと――なんと顔が三つ!
ひとつは正面に(燃えるような赤色だ)

あとのふたつはその両脇にくっついていて
それぞれの肩の稜線のすぐ上のところ
頭頂でみっつの顔はひとつに合わさる

右側の顔は白と黄色の混ざった色

左はちょうどナイル川流域に
暮らしている連中の肌の褐色

それぞれの顔の下には隆々たる翼が生えていて
その大きさもこの巨大な怪鳥にふさわしいもの
（船の帆でさえこれほどのは見たことがない）

もっともそれは羽根に覆われた翼ではなく、
蝙蝠の翼。そいつを絶え間なく扇いでは
三つの風を代わりばんこに送り出して

コキュートスを永久の氷に閉じこめている
その六つの眼からは涙が溢れ、三つの顎を伝って
血の唾と混ざりあい、ぽたりぽたりと滴り落ちる

この大悪魔こそ、かの堕落した大天使、しばしばサタンと同一視されるルシフェル（Lucifer）なのです。ウェルギリウスがダンテに言った「ディス」はその別称であり、そう、第八歌に出てくる

地獄の都市と同じ名前。前章でダンテが抱いていた疑問もここでようやく明かされました。分子ですら凍りついて動かぬはずのコキュートスの氷原を吹き抜ける風は、この大悪魔の翼が起こしていたわけです。さて大悪魔の口元をみてみると……

三つの口はひとりずつ罪人を嚙みしだき
　麻や亜麻を集める熊手のような歯でもって
　三人の罪人たちを休む間もなく苛んでいる

正面の罪人は――そいつの嚙まれようときたら
　悪魔のかぎ爪で引っ掻かれるよりもっと酷くて
　背中の皮がべろんべろんに剝がされていた

「あの一番苦しめられておる奴が」
　センセイはおっしゃった「イスカリオのユダじゃ。ほれ、
　頭を口のなかに突っこんで両足をばたばたさせとるわい。

足をくわえられて頭を突き出しとるあとの二人のうち、

黒い顔の口からぶらさがっておるのがブルータス、
余りの苦しさに声もなく身を捩らせておるじゃろが。
もうひとりはその共謀者カッシウス。まだ五体はくっついとるようじゃな。
さあ、もうじき夜がやってくる。この場所を
おさらばしよう。もう何もかも見たのだから」
『神曲』の主題のひとつは「国家と教会」であると申しますが、地獄の一番中心に、キリスト（教会）を裏切ったユダと、シーザー（国家）を裏切ったブルータスとカッシウスが、神の信頼を裏切って地獄に落とされた元天使の口に突っこまれているというのは、「国家と教会」というテーマの最も端的な表象と思えます。
「この場所をおさらばしよう。もう何もかも見たのだから」という印象的な科白に続く場面は、手に汗握る、まさにレボリューショナル（Revolution＝回転、転じて革命）なもの。と言うのも……
俺は言われた通り、センセイの首根っこにしがみついた
センセイはじっとタイミングを図っていらしたが
悪魔の翼がぎりぎりまで開ききった瞬間を狙って

悪魔の身体の毛深いところへ飛び移り
　それから毛の一房ごとにそろりそろりと
　凍りついた地底へと伝い降りてゆかれる

俺を背負ったセンセイが、悪魔のちょうど
　腿の付け根、尻の出っ張り辺りへ達したとき
　センセイは、渾身の力と気力を振り絞り、

悪魔ディスの毛深い向こう脛に頭を向けて
　脛毛を掴むや再び攀じ登り始めたのだ
　——どうやら地獄へ戻ってゆくようだ

「しっかり捕まっとれよ。これ以外に道はない」
　センセイは烈しく喘ぎながらおっしゃった
　「この脛毛階段だけが地獄から出る唯一の道」

ようやく岩の裂け目から頭を出すと
センセイはまず俺を崖っぷちに座らせて
それから自分も這い上がって腰を下ろした

俺は顔を上げた、てっきりそこにはルシフェルの
さっき見たばかりの上半身が立っていると思って
だがそこにあるのは逆さに突き出た両脚だった

それで俺はすっかりわけが分からなくなっちまったのだが
読者諸兄には、この不思議の理由が
もうお分かりになったであろうか?

とダンテは訊いていますが、いかがでしょうか。脚の付け根でくるりと半回転して、もう一度上へ登っていったはずが、出てみたところは別の場所。しかも悪魔は逆立ちしていて、今は下半身しか見えない。その理由はダンテとウェルギリウスの次なる遣り取りで明らかになります。

「ほれ」とセンセイはおっしゃった「立ちなされ、

まだまだ先は長いし、道は険しい登り坂
それに太陽はもう地平線にかかっとる！」

あたりは宮廷の遊歩道というよりも
自然が造った牢獄という感じ
地は瓦礫に覆われ光に乏しい

「センセイ、ここから抜け出す前に」
立ち上がると俺は言った
「どうかご説明ください、

氷はどこへ行ったんです？　それにこの悪魔
どうやって逆さまに？　それからあんな僅かな間に
すっかり夜が終わって朝になるとはこれ如何に？」

「自分がまだ中心のあっち側にいると思っておるな」
センセイはおっしゃった「地球の芯を貫くあの化け物の

毛虫のような毛を最初に儂が摑んだ方の側におると。

実際儂が下へ下へと這い降りておる間はそうじゃった、
だが脛のところで半回転したじゃろう、あのとき儂らは
すべての重みが引きよせられる中心を通り抜けたのじゃ」

というわけです。つまり地球を縦に輪切りにすると、その一番中核の部分に、南半球から北半球へ頭を突き出すようにして、悪魔ルシフェルが刺さっている。ウェルギリウスが悪魔の臑毛を摑んだ瞬間、ちょうど北半球から南半球へと移動して、重力の方向が逆さまになる。よってそれまでの下が上、上が下、ウェル先生はそのまま悪魔の足の先へと伝い「降り」ていったわけですが、それがダンテにはいまや上へ「昇っている」、元へ戻っていると感じられたという次第。

第一歌で暗い森から抜け出して以来、「地獄篇」には一貫してさまざまな地形が描かれています。ダンテの語る言葉は、その一語一語が、地形の変化に対応していて、「トポロジーの詩学」とでも申しましょうか、あるときは崖で足をすべらせ、あるときは灼熱の炎を掻き分け、またあるときは波に揺られて、読者は全身で地形を辿りながら言葉を辿ってゆく、それがこの作品のエネルギー源になっている。とくにこの「臑毛階段」は、その白眉をなすものではありますまいか。なにしろ曲芸まがいのこの半回転上下運動を、齢千三百年を超える大詩人が、背中にダンテをおぶったままで

行なうのですから。

ここでウェルギリウスはダンテに、地球の構造を説明します。かつては南半球が世界の表側で、そこにすべての陸地や山があったとさ。ところが神に謀反を企てたルシフェルが、真っ逆さまに落ちて来て、地表（つまり南半球の地表です）を突き抜け、地球の真ん中に突き刺さったとき、ミナミにあった陸地はびっくり仰天、キタの新地へ逃げ出して、今日（といっても西暦一三〇〇年現在のことですが）あるような世界ができた。つまり南半球には煉獄の山以外に陸地はなく、そのまま天国につながっているというわけ。

さてこれまで三十四のカントと約四千七百行を費やして辿ってきた「地獄篇」も、いよいよあと僅か七行となりました。最後の最後に、気高くも懐かしい星が瞬きます。

我が師と俺はその秘密の道をくぐり抜けて
ふたたび光が支配する世界へと戻っていった
休もうなどという気持ちはさらさらなかった

センセイが前になり、俺がその後をついて、ふたりは
歩き続けた、やがて前方にちっぽけな丸い出口が現れ
その向こうに美しいものを宿した天国が開けてくると

俺たちは外へ出てふたたび星を見上げた。

注

『神曲』の翻訳は、

Dante Divine Comedy Vol. I: Inferno, Translated by Mark Musa, Penguin Books, New York, 1984 および

Die Go: ttliche Komödie, Auswahl, Übersetzung von Hermann Gmelin, Reclam Universal-Bibliothek, Stuttgart, 1976

を底本とし、以下の文献を参照しています。

Sandro Botticelli: *The Drawings for Dante's Devine Comedy*, Royal Academy of Arts, London, 2000

『ダンテ神曲　上田敏未定稿』修文館書店、一九一八年

『絵で読むダンテ「神曲」地獄篇』ドレ画／平沢弥一郎編訳、論創社、二〇〇二年

＊貴重な資料を提供してくださった豊田和司氏にこの場をお借りしてお礼申し上げます。

第十一章　大陸の声、内なる異郷

あるとき、なにげなく于武陵の「勧酒」を眺めていると、例の井伏鱒二の訳文の向こうから、もうひとつ別の声が聴こえてくるではないか。おや、と耳を澄ますに、どうやらリチャード・ブローティガンのようである。いや、ロバート・ブライかもしれないし、ひょっとしたらサリンジャーかも。いずれにせよ、角ばった漢語でも柔らかな日本語でもない、巻き舌の英語であることは確かだ。ぶっきらぼうで、あっけらかんと乾いていながら、どこか痛々しさを感じさせる男の声……。

その声をもっと聴きたくて、中学高校を一緒に過ごした男に漢詩を送ってくれと頼んだら、高校で使った漢文の教科書（古典1乙）が届いた。頁を開いて吃驚、ボクたち、こんな難しい漢文を読んでたっけ？　おまけとして岩波新書『新唐詩選』が入っていて、吉川幸次郎と三好達治という豪華コンビが、書き下し文とともに懇切丁寧な解説までつけてくれている。これなら俺でも読めると杜甫、李白、王維、于武陵、孟浩然、三十余年ぶりに再会した漢字の行列は、古典や教養であるまえに、何よりも詩そのものなのだった。

訳している最中は元の詩に自分の声を載せることで精一杯だったが、いったん『新唐詩選』を離れて、今度は米国の詩人カール・サンドバーグを訳し始めたところでハタと気づいた。この声だ。「勧酒」から聴こえてきたのは、大平原を吹き抜けてゆく透明な風の音、島国では決して聴くことのできない「大陸」の声だったのだ。

大陸と島国との関係を、私は常々、自分が暮らしているドイツと、その文学を愛読するイギリスおよびアイルランドの文化・風土の対比において捉えていた。凍てついた大地からキャベツを拾いあげる無骨な大陸の指と、暖かな海流のほとりで口角泡を飛ばす島国の舌。極東から流れてきた根無し草たる私自身は、大陸にいると島の情が懐かしく、島国に戻れば大地の非情に憧れて、蝙蝠さながらのアンビバレンツを味わってきたのだが、考えてみればその両者は、大和言葉と漢文脈という形をとって、私の血肉深くに宿っていたというわけだ。

つまり私は地理的な異国にいながら、これらの漢詩のなかに、自分の内なるもうひとつの異郷を発見したのであった。日本と中国、欧州大陸と英国・アイルランド、そして大西洋を隔てた米国。これまで別々に交渉してきたつもりの世界が、ひらがなと漢字、声と文字、調べと意味、抒情と行為といった詩の構成要素に重なりながら、大きな環を描いて連なってゆく。そしてそこへ私を導いてくれたのが、祖父の世代にあたる日本語の詩の達人、三好達治氏であることに、不思議な感慨を覚えるのである。

于武陵（うぶりょう）

勧酒　　　酒を勧む

勧君金屈卮　君に勧む金屈卮（きんくつし）
満酌不須辞　満酌辞するを須（もち）いず
花發多風雨　花發（ひら）けば風雨多し
人生足別離　人生別離足る

この詩はなんといっても、井伏鱒二の訳が有名だ。原典を知らないひとでも、「さよならだけが人生だ」というフレーズには聞き覚えがあるだろう。「この杯を受けてくれ／どうぞなみなみと注がしておくれ／花に嵐の喩えもあるぞ／さよならだけが人生だ」（井伏鱒二『厄除け詩集』）。

原文、書き下し文、そして井伏訳と続けて読んでゆくと、漢文の繭のなかから日本語の蝶が出てきて、そっと翅を広げるような印象を受ける。原文と井伏訳との間に存在する、ささやかだけれども決定的な違い。その曰く言い難い差異こそ、私たちがかりそめにポエジーと呼ぶものだとすれば、これは翻訳が詩を損なうのではなく、むしろ翻訳によって詩が生ずる希有な例だろう。

作者の于武陵は、九世紀半ば、いわゆる晩唐の詩人。自分の詩が死後千年を経てなお人々の（それも異国の）唇に宿っていると知ったならば、「人生足別離」と書いたこの男はどんな顔をするだろうか？　ちなみに名前の「于」の字には、息がのどにつかえて、わあ、ああと漏れ出る感嘆の意味があるのだそうだ。

一杯どう？

酒ってのは透明だね
そして透明は拒みがたいな
散る花を見て人は風の行方を知る
僕らの間をさよならが吹き抜けてゆくよ……

孟浩然（もうこうぜん）

春暁　　　春の暁（あかつき）

春眠不覺曉　春眠（しゅんみん）　暁を覚えず

處處聞啼鳥　処処に啼鳥を聞く
夜來風雨聲　夜来　風雨の声
花落知多少　花落つること知んぬ多少ぞ

こちらは冒頭の一行ばかりが有名になってしまった。我が清少納言が「春はあけぼの／やうやうしろくなりゆけば／少しあかりて／紫だちたる雲の細くたなびきたる」（枕草子）と書いたのは、十世紀後半。孟さんの時代から三百年ほど後のことだが、彼女は当然この詩を知っていただろう。その上で、うとうとと浅い眠りを貪る男に対して、醒めて窓の外を見つめる女を示してみせたのか。

孟さんが聞いた鳥の鳴き声はどんな響きをたてたのだろうと想像していたら、一瞬谷岡ヤスジの「アーサー！」が聴こえたが、その後から村上春樹の小説に登場する「ねじまき鳥」の姿が浮かんできた。朝が来るたびに、そいつは断乎としてネジを巻き、お陰で僕らは目を覚まして起き上がらなきゃなんない。まったくウンザリなんてもんじゃない、もう何万、いや何億年とそうなのだ。自分が死んだ後だって世界は延々と続いてゆく。なにをかいわんや。

いつのまに夜が明けたのだろう
ネジ巻き鳥がギイギイ螺子を巻いてらあ
夢のなかにはずっと雨と風とが響いていたよ

もう花は残っちゃいまいなあ……

杜甫1

絶句

江碧鳥逾白
山青花欲然
今春看又過
何日是歸年

江は碧にして鳥は逾よ白く
山は青くして花は然えんと欲す
今の春も看のあたりに又過ぐ
何の日か是れ帰る年ぞ

吉川幸次郎先生によれば、絶句とは「みじかいうたの意である」とそっけない。広辞苑を繙いてみると、「漢詩形の一。四句から成り、起・承・転・結の構成をとる。一句が五言のものと七言のものとがある」。この作品は一行五字だから五言絶句だ。

たしかに最初の二行で周囲の風景をパンしたあと、三行目で内面へと視線を転じている。四行目の結びのモノローグは、望郷の念ととるのが普通だろうが、どうも私にはそれではしっくりとこない。自分自身が日本を離れて二十数年、浮き草のように漂っているわりに、故郷願望が皆無なせいか。故郷に帰ってみたところで、三行目の茫然たる喪失感が癒されるわけがないだろうにと思ってしまうのだ。

西洋ではソクラテスの頃から、地球上のどこであれ今いるところを自分の故郷として受け入れることが文人の徳のひとつと見なされていたそうだ。そういう感覚でこの詩を読むならば、最後の「帰る」は地上からの帰還、すなわち最期のときとも解釈できる。すると俄然スケールが大きくなって、最初の二行の川や山が宇宙空間に浮かぶ一個の惑星そのものに思えてくるのだ。コスモロジーの詩学である。

川の深みを羽搏いて鳥の翼は輝きを増し
木々の若葉に抱かれて花は華やぐ
僕はまだここにいる　時間の岸辺で
なす術もなく過ぎ去ってゆく春を見ている

杜甫 2

春望　　春の望め

國破山河在　国破れて山河は在り
城春草木深　城は春にして草木（そうもく）深し
感時花濺涙　時に感じて花も涙を濺（そそ）ぎ
恨別鳥驚心　別れを恨みて鳥も心を驚かす
烽火連三月　烽火（ほうか）は三月（さんがつ）に連なり
家書抵萬金　家書は万金（ばんきん）に抵（あた）る
白頭搔更短　白頭は搔（か）きて更（さら）に短く
渾欲不勝簪　渾（す）べて簪（かざし）に勝（た）えざらんと欲す

漢詩の特徴のひとつである対句というやつ、非対称の美学を尊ぶ日本人の感覚には作り過ぎと映ることもあるが、冒頭二行の国と山河、城と春の草木との対比は今もって鮮やかだ。一個の個人やその肉体よりもはるかに強固な国家や城という存在を持ち出すことによって、それをさらに凌駕する宇宙のエネルギーが見事に捉えられている。

三行目と四行目は、そんな無限の宇宙に対峙する人間の精神を、直接描き出すのではなく、花や鳥に託して、すなわち内面から外界へと広がってゆく運動性において提示する。烽火は戦いの狼煙、家書は家族からの便り、画面は大きくパンしながらひとりの男へと近づいてゆく。

彼はもう白髪頭だ、それも薄くなって櫛を差してもすぐに落ちてしまうという。ひとの肉体という国、そのてっぺんに立つ頭の城。国破れて、山河あり。思いは個々の生死を貫いて滔々とながれる生命の川へと注いでゆく。

人類が滅びたって世界はびくともしないさ
空間は常に広がり内奥は表層へ滲出し続けるだろう
舞い落ちるときの花びら
視線とともに飛び立つ意識の翼
山々は大声で雲に呼びかけているが
僕の心はひっそりしている
この星にいるのも
あと僅かだ

李白 1

山中答俗人　　山中にて俗人に答う

問余何意住碧山　　余（われ）に問う何の意（こころ）にて碧山（へきざん）に住むと

笑而不答心自閑　　笑うて答えず心は自（お）のずと閑（しず）かなり
桃花流水窅然去　　桃花（とうか）流水（りゅうすい）窅然（ようぜん）として去り
別有天地非人間　　別に天地の人の間（よ）には非（あらざ）るもの有り

俗人とは、いわゆる俗物というよりも、生活者一般のことだろう。そこには詩を書いていないときの李白自身も含まれているはずだ。一方、「人間世界とは別に有る天地」は、漱石の「非人情」の世界に通ずる。すなわち実際の山中の空間ではなく、詩のなかの虚構的世界。だとすればこの最後の一行、最初の一行に答えているようで、全く別の次元のことを話しているわけであり、むしろ李白の独白と捉えるべきか。

谷川俊太郎は「午前八時」（『世間知ラズ』所収）という詩のなかで、李白が「心自閑」と表現した詩的空間を「空白」と呼び、こんな行を書いてみせた。「けもののお前の知らない歴史をぼくは生きているが／ぼくはいつもこの束の間の空白から書き始めてきたような気がする／／空白だから何もかも容れられる／ぼくはそこに一枚の木の葉といっしょに核兵器を収め／倦怠とともに喜びを収めようとする」。

私の訳の最終行も、同じ詩からの引用であるが、現代日本の詩聖はその一行にさらに続けて、「どんな言葉にも騙されないことを願いながら」と付け加えることを忘れなかった。

何を好き好んでこんな山奥に住んでいるのかだって?
…………(笑)
ほら、桃の花びらが一枚　水の上を流れてゆくよ
ほとんど人間を裏切るに等しいところでぼくは書いている

李白2

山中與幽人對酌　　山中にて幽人と対酌して

兩人對酌山花開　　両人　対酌すれば山花開く
一杯一杯又一杯　　一杯一杯又一杯
我醉欲眠君且去　　我は酔うて眠らんと欲す君は且く去れ
明朝有意抱琴來　　明朝　意有らば　琴を抱いて来たれ

この詩を書いたときの李白は何歳だったのだろう。すっかりリラックスして書いている様子が伝わってくる。地の底から空の奥処まで、気持ちがまっすぐ突き抜けているようだ。でなければ「一杯一杯又一杯」なんて行は書けないものな。ちなみに「幽人」とは幽霊ではなく、山水の美を解す

る人のことだそうだ。でも李白だったら、相手が幽霊でも愉しく酒を酌み交わしていそうな気がする。

君と飲むと山に花が咲くよ
グラスにグラスを重ねて　あゝ、
酔っちまった　もう眠る　君いったん帰って
明日の朝また来いよ　今度はギターを忘れずにな

李白３

贈内　　　内(つま)に贈(おく)る

三百六十日　　　三百六十日
日日酔如泥　　　日日(にちにち)酔うて泥の如し
雖爲李白婦　　　李白の婦(よめ)と為(な)ると雖(いえど)も
何異太常妻　　　太常(たいじょう)の妻と何(なん)ぞ異(こと)ならん

太常とは、広辞苑によれば「中国の官名。九寺・九卿の筆頭。漢・魏代、天子の宗廟や祭祀や礼樂をつかさどった」。要するに女人禁制の聖職者だ。自分もまた毎晩呑んだくれて帰ってくるばかりなので、女房はほったらかしだというのである。一体誰に向かってこんな詩を詠んでみせたのか。本当に妻に贈ったりしたら、きっとただでは済むまいに。それともこれは、久しぶりの夫婦和合のあとで、ふっと口をついて出たのかな。

妻に

年がら年中
酔っぱらってばかりで
ごめん　一番最後は
いつだったっけ？

注　白文および書き下し文は、もっぱら岩波新書『新唐詩選』吉川幸次郎・三好達治著からの引用です。

第十二章　のすたるじあをおりたたむ

漢詩篇＊＊

杜甫3

漫成

江月去人只數尺　江月は人を去ること只数尺
風燈照夜欲三更　風燈は夜を照らして三更ならんと欲す
沙頭宿鷺聯拳靜　沙の頭に宿る鷺は聯拳として静かに
船尾跳魚潑剌鳴　船の尾に跳る魚は潑剌として鳴る

漫成の漫はマンガのマン。曼の部分が、ながいベールを目に覆いかぶせた様をいい、転じて一面を覆うの意味。それに三ズイヘンがつくと、水がながながと続く、溢れるという意味になるそうだ。

なるほど、それで浪漫などとも書くわけか。訓読みは「みちる」「はびこる」「ながい」「みだり」「すずろに」など。漫成は読み下すと「みだりに成る」、つまりふと出来上がった詩。

江月は川面に映った月影、風燈は舟のマストに吊るされたランプ、三更（こう）とは午前零時、聯拳（れんけん）は身体を丸くひねること。難しい漢語が続くが、それらを寄せ集めて一幅の絵として眺めてみると、漫然とはほど遠い、なにか張りつめた静けさが伝わってくる。詩の最後に置かれた魚の撥ね音が、鋭い刃物のようにその静けさを刺し貫く。漫成と言いながら、ここに描かれている放心は、途轍もない虚無へと突き抜けているのではあるまいか。

埠頭　月は僕のすぐ足元にある
午前〇時　マストの先で揺れる裸電球ひとつ
一羽のサギがじっとこっちを見ている
魚が跳ね――ぴくりと僕の肩が震える

杜甫 4

有客　　　客有り

患氣經時久
臨江卜宅新
喧卑方避俗
疎快頗宜人
有客過茅宇
呼兒正葛巾
自鋤稀菜甲
小摘爲情親

気を患みてより年を経ること久し
江に臨みて宅を卜すること新たなり
喧卑は方に俗を避け
疎快は頗る人に宜ろし
客有りて茅宇を過ぐ
児を呼びて葛巾を正さしむ
自ずから鋤して菜甲は稀なれども
小か摘むは情の親しきが為なり

戦乱に翻弄されて遍歴続きだった杜甫の後半生において、四十八歳から五十四歳にかけては四川省・成都の郊外で例外的に安定した日々を送ることのできたという。ちょうど今の私の年齢だ。長く喘息を病んではいたものの（一行目）、郊外の川辺に自分の家を新築することもできた（二行目）。友人が茅の軒端へやってきたら（五行目）、子供を呼んで頭の上の帽子の具合を確かめさせた（六行目）というのだから、家族だって一緒だったのだろう。

だが煩い俗世間を逃れていることは（三行目）、なんともさっぱりと気持ちがいいものだ（四行目）という呟きは、まるで生活者らしくない。むしろ『草枕』冒頭の「智に働けば角が立つ。情に棹させば流される。意地を通せば窮屈だ。とかくに人の世は住みにくい」を思わせる。漱石は続けて「住みにくさが高じると、安い所へ引き越したくなる。どこへ越しても住みにくいと悟った時、詩が生まれて、画が出来る」と書き、人の世と人でなしの国とを対比させたが、杜甫にとってはどちらが本当の故郷だったのか。
最後の二行、友人に自ら作った菜園の新芽を勧める場面に、情の人間世界と非人情の詩の世界とに引き裂かれた詩人の姿が浮かび上がる。

生きているとだんだん息が詰まってくるから
川のほとりに越してきたんだ
ここはまさに「草枕」の世界だなぁ
「非人情」が気持ちいい
でも君がわざわざ訊ねてくれたのは嬉しいよ
ほら、僕はこうして帽子まで被ってる
言葉を交わす代わりにうちで育てた野菜を食べようじゃないか
僕らが（非人情ではあっても）「無人情」ではないことの証に

杜甫5

江亭(こうてい)

坦腹江亭暖
長吟野望時
水流心不競
雲在意倶遅
寂寂春將晩
欣欣物自私
故林歸未得
排悶強裁詩

腹を坦(たい)らにすれば江亭の暖かに
長く吟じて野を望(なが)むる時
水は流るれども心は競(きそ)わず
雲は在(とど)まりて意は倶(とも)に遅(のど)かなり
寂寂(せきせき)として春は将(まさ)に晩(く)れなんとし
欣欣(きんきん)として物は自(みず)から私(と)ぐ
故林(こりん)帰ること未(いま)だ得ず
悶(うれ)いを排(はら)いて強いて詩(し)を裁(つく)る

比較的平明な詩句のなかで、六行目、とりわけ「物自私」の三文字が謎めいて光っている。手元の漢和辞典によれば「私」には自分、私事から始まって、こっそり小便する、男女の陰部に至るまで十一の意味が出ているが、そのうちもっともこの文脈に近いのは「ひそかに、ないしょで、ひとりでこっそり」といった辺りか。欣欣は息を弾ませて歓ぶ様だが、物はそれを誰に告げるともなく、ひっそりと充足している。そこには存在の根源の気配が漂う。

いささか唐突だが、こんな春の夕暮れ、茫然とビヤホールに座っている萩原朔太郎の姿が思い浮かぶ。彼もまた故郷（故林）を喪失した者だった。最終行で杜甫が「悶い（うれい）」と呼んだ感情は、朔太郎の言う「ノスタルジア」に通じるものではなかったか。それもまた現実の生まれ故郷を突き抜けて、自らの存在の根源へと向かうものだろう。その悶いを払いのけて、洋服を裁断するように一篇の詩を作るという表現の斬新さ。

かわべにぬくぬくねそべって
とおくをみながらうたをうたへば
こころはいつしかからだをはなれ
くもといっしょにそらへうかぶ
しずまりかえったはるのくれ
ものみなみちてひかっている
ここはどこでもないところ
のすたるじあをおりたたむ

杜甫 6

返照（はんじょう）

楚王宮北正黄昏
白帝城西過雨痕
返照入江翻石壁
歸雲擁樹失山村
衰年病肺惟高枕
絶塞愁時早閉門
不可久留豺虎亂
南方實有未招魂

楚王の宮の北は正に黄昏
白帝城の西には過り雨の痕
返照は江に入りて石壁に翻り
帰雲は樹を擁して山村を失す
衰えたる年に肺を病みて惟えに枕を高くし
絶かなる塞に時を愁いて早く門を閉ざす
久しく豺虎の乱に留まる可からず
南方には実にも有り未だ招かれざる魂

楚王の宮とは紀元前に湖北省一帯を治めていた領袖の遺跡、白帝城は白色皇帝という異名を持つ奇岩。いずれも成都を去った後、杜甫が流れ着いた揚子江沿岸の峡谷の周辺に位置するという。肺病はいっこうによくならず、時世を嫌って早々と玄関を閉じて寝てしまうような暮らしが続く。だがこの土地にも獣じみた騒乱が迫ってくる。長居は無用だ、さらに南方へと漂泊していこう。

これは律詩という詩形。この詩は一行七語なので、七言律詩。律詩は八句からなり第三、四句（頷句）と第五、六句（頸聯）とがそれぞれ対句をなすというが、そうなっているだろうか。私はむしろ、二行ずつ対をなしてゆく西洋のカプレットに似ているという印象を受け、そのように訳してみたのだが。

北の廃墟はもうたそがれに沈んでいるのに
西の岩山はまだ夕立に濡れたままだ

川面に跳ね返って対岸の絶壁を照らす夕陽
木々にからみついて山あいの集落を包みこむ霧雲

男は老いぼれ肺をやられて寝こんでいる
この最果ての地で失意と孤独に苛まれている

宿命は彼をさらに南の彼方へと追い立てるだろう
招かれざる魂――どこへ行こうと安住の地は見つかるまい

杜甫 7

登高

高きに登りて

風急天高猿嘯哀
渚清沙白鳥飛廻
無邊落木蕭蕭下
不盡長江滾滾來
萬里悲秋常作客
百年多病獨登臺
艱難苦恨繁霜鬢
潦倒新停濁酒盃

風は急に天は高くして猿の嘯くこと哀し
渚は清く沙は白くして鳥の飛ぶこと廻る
無辺の落木は蕭蕭として下ち
不尽の長江は滾滾として来たる
万里　秋を悲しみて常に客と作り
百年の多病　独り台に登る
艱難　苦だ恨む繁霜の鬢
潦倒　新たに停む濁酒の盃

漢文とはまことに密度の濃い言語だ。日本語に訳そうとすると、たったの七字がなかなか一行に収まらない。そこで次の行に一段下げで折れてゆく形をとったのだが、こういう配列は日本の近代詩ではよく見かける。さてはあのリズムの根っこには七言律詩があったのか、それにしてもどうして現代詩はひたすら横一列に並んで書くようになったのだろう——などと思いは千年前の中国と現代の日本とを往ったり来たりだ。

風の強い空の下に響き渡る悲痛な猿の叫び、見渡す限りざわめきながら無数の葉を散らす木々、病を抱えたままひとり丘を上る男。詩人の感覚は内と外の両方に全開されている。艱難は困難に出会って苦しみ悩むこと、潦倒とは絶望のあまり投げやりになることだそうだが、酒を飲む気にもならないとは相当のものである。

こんな晴れた風の日には
　サルの叫びが胸に染みる
川のみどりに浜の白　廻っているのは
　鳥かよ？　それとも廻転飛行そのものか？

見渡す限りの落葉樹が
　いやよいやよと身を捩り
行く川の流れは絶えずして
　もとの水はいまいずこ

私は永遠の旅人だ
　距離が悲しみを消すことはついぞなかった
生涯の業を背負って
　ひとり高みへ登ってゆく

なんてこった
　髪に霜がこびりついちまってる
ちょっともう
　酒を飲む気にもなれないな

杜甫8

茅屋爲秋風所破歎　　茅(かや)の屋(いえ)の秋風に破られし歎き

八月秋高風怒號　　八月　秋は高(た)けて風は怒り号(さけ)び
巻我屋上三重茅　　我が屋(むね)の上なる三重の茅(かや)を巻く
茅飛度江洒江郊　　茅は飛んで江(かわ)を渡りて江郊(こうこう)に洒(そそ)ぎ
高者掛罥長林梢　　高き者(もの)は長き林の梢に掛(かか)り罥(まと)い
下者飄轉沈塘坳　　下(ひく)き者は飄(ただよ)い転(まろ)びて塘(いけ)の坳(くぼ)みに沈む
南村群童欺我老無力　　南の村の群童(ぐんどう)は我が老いて力無きを欺(あなど)り
忍能對面爲盜賊　　忍(むご)くも能(よ)く面(ま)の対(あた)りに盗賊を為(はたら)き

公然抱茅入竹去
脣焦口燥呼不得
歸來倚杖自歎息
俄頃風定雲黑色
秋天漠漠向昏黑
布衾多年冷如鐵
嬌兒惡臥踏裏裂
牀牀屋漏無乾處
雨脚如麻未斷絕
自經喪亂少睡眠
長夜沾濕何由徹
安得廣廈千萬間
大庇天下寒士俱歡顏
風雨不動安如山
嗚呼何時眼前突兀見此屋
吾廬獨破受凍死已足

公然(こうぜん)と茅を抱(いだ)き竹に入りて去る
唇は焦(ただ)れ口は燥(かわ)けども呼ぶこと得(かな)わず
帰来(きらい)　杖に倚(よ)りて自(み)ずから歎息(たんそく)す
俄頃(しばらく)にして風は定まり雲は黒色(こくしょく)に
秋の天(そら)は漠漠(ばくばく)として昏黒(こんこく)に向う
布の衾(しとね)は多年のあいだ鉄(てつ)の如く冷かなるに
嬌児(きょうじ)は臥(ね)ざま悪(あ)しくして裏を踏みて裂く
床(とこ)も床(とこ)も屋漏(やも)りして乾きし処は無く
雨の脚は麻の如くにして未(いま)だ断絶せず
喪乱(そうらん)を経(へ)て自(よ)り睡眠少きに
長き夜に沾湿(てんしつ)しては何に由(よ)りてか徹(あか)さん
安(い)ずこにか得ん広き廈(いえ)の千万間
大いに天下の寒(まず)しき士(おのこ)を庇(かば)いて倶(とも)に歓(よろこ)ばしき顔し
風雨にも動かずして山の如く安きを得ん
嗚呼(ああ)　何の時か眼前に突兀(とっこつ)として此の屋(いえ)を見ば
吾が廬(いおり)は独り破れて凍死(とうし)を受くとも已(すで)に足らえり

杜甫の他の長詩同様、この詩でもまた、極めて日常的で、コミカルですらある暮らしの一場面が、魔法のように人間の実存そのものを浮かび上がらせる。その劇的な転換点となっているのは「自經喪亂少睡眠／長夜沾濕何由徹」の二行、喪乱は世の中の騒がしさ、沾湿（てんしつ）は濡れそぼること。それでなくても心労多くして眠りが浅いのに、こんなに濡れてしまっては長い夜をどうやって明かせばいいのだろう。その絶望の底で、杜甫の個人的な苦悩が全人類への連帯と希望へと転じてゆく。その口調には、どこか「世界がぜんたい幸福にならないうちは個人の幸福はあり得ない」（「農民芸術概論綱要」）と言い切った宮沢賢治に通じるものがある。たとえ雨漏りも隙間風もない立派な家に暮らしていても、眠れぬ夜更けに我が身を振り返り、子々孫々の行く末を案ずる人には胸にしみる一篇だろう。

台風一過我家ノ惨状

夏過ぎて、友よ、秋かと思えば台風だ
我家の屋根をばメリバリべリと引き剝がし
茅葺き忽ち空に舞い　川を渡って向こう岸
林の梢に引っかかる奴
ひらひらと池にはまって沈む奴

それを村のガキどもは　ジジイにゃ遠慮は無用とばかり
白昼堂々掻き集めては盗んでゆく
助けを求めようにも口はぱくぱく動くだけ
肩を落として引き返し　杖にすがって溜息つけば
ようやく突風は止み　今度は真っ黒い雨雲が
秋空を陰々滅々覆ってゆく
さて、我家の布団はぺちゃんこで　鋼鉄みたいに冷えきって
寝相の悪い子供の足に蹴られてもはやボロボロ
家中どこも雨漏りで　しとしとぴっちゃんしとぴっちゃん
降っても降ってもまだ降り止まぬ
ラジオ深夜便だけをよすがに過ごす夜更けも
こんなに漏れては朝までもたぬ
どこかに千畳いや万畳ほどの広間はないものか
そこへ世界中の貧乏暮らしが集まって　笑顔と笑顔をにっこり交わし
もうなにも憂い患うことはない　びくびく怖がることもない
ああ、いつの日かそんな御殿がどこからともなくこの地上に現れるなら
男一匹破れ屋根　凍え死んでも本望だ

第十三章　あの月を受けとめられる者が……

漢詩篇＊＊＊

李白 4

夏日山中　　夏の日の山中にて

懶搖白羽扇　　白羽扇(はくうせん)揺(ゆるが)すにも懶(ものう)く
裸袒青林中　　青林(せいりん)の中に裸袒(らたん)す
脱巾掛石壁　　巾(きん)を脱いで石壁(せきへき)に掛け
露頂灑松風　　頂(いただ)きを露(あら)わして松風(しょうふう)に灑(あら)わしむ

白い鳥の羽根で作った扇をゆっくりと揺らしながら、青々と茂った森のなかで諸肌脱ぎになって、汗を乾かしているひとりの男。帽子は脱いで石壁にちょこんと載せて、頭のてっぺんを風が吹いてゆくに任している。

ここに描かれているのは、地上に溢れ、岩に染み入る静けさだ。それは宇宙空間に広がる沈黙と違って、無数の小さな物音で満たされている。葉ずれのざわめき、虫の羽音、自分の軀のなかの血の巡り……。生きとし生きる生命の気配。この僅か二十字のなかに、私たち万人の故郷である地球の静けさが息づいている。

中原中也もしばしばそんな静けさを歌った。たとえば、「夏の午前よ、いちぢくの葉よ、／葉は、乾いてゐる、ねむげな色をして／風が吹くと揺れてゐる、／よはい枝をもつてゐる……／／僕は睡らうか……」（「いちぢくの葉」未発表詩篇より）。

木立のなかでシャツを脱ぎ
ゆっくりと扇を揺らせば
風が頭を撫でてゆく
僕は睡ろうか……

李白 5

憶東山　　東山を憶（おも）う

不向東山久　東山（とうざん）に向かわざること久し
薔薇幾度花　薔薇（そうび）は幾度（いくたび）か花さきし
白雲他自散　白雲（はくうん）の他（かれ）は自（お）のずと散らん
明月落誰家　明月は誰（た）が家にか落つ

なんという透明な詩だろう。東山とは浙江省紹興の名勝だそうだが、この詩は固有の場所に寄りかかってはない。それはどこであってもよかった。むしろここ以外の全ての場所、概念としての不在の代名詞として機能している。そして李白の告げていることは、そこで咲き誇る薔薇のこと、雲のこと、月のこと、ただそれだけ。だがその単純な和音のうちに、無数の不在に取り囲まれた自分の存在の輪郭が浮かび上がる。あっぱれ。

ここにいてそこを思う
そこに咲きそこに枯れる薔薇の花を思う
白い雲がゆっくりと風に運ばれてゆくさまを思う
あの月を受けとめられる者が何処にいる？

李白6

春日醉起言志　春の日に酔（よい）より起きて志（こころざし）を言う

處世若大夢
胡爲勞其生
所以終日醉
頽然臥前楹
覺來眄庭前
一鳥花間鳴
借問此何時
春風語流鶯
感之欲歎息
對酒還自傾
浩歌待明月
曲盡已忘情

世に処（お）ることは大いなる夢に若（に）たるに
胡（な）ん為（す）れど其の生を労（つか）らすや
所以（ゆえ）に終日（しゅうじつ）酔い
頽然（たいぜん）として前楹（ぜんえい）に臥（ふ）す
覚（さ）め来たりて庭前を眄（なが）むれば
一鳥（いっちょう）　花間（かがん）に鳴く
借（こころ）みに問う此は何（なん）の時ぞと
春風（しゅんぷう）に流鶯（りゅうおう）の語る
之（これ）に感じて歎息せんと欲し
酒に対して還（ま）た自（み）ずから傾く
浩歌（こうか）して明月を待たんとするに
曲（きょく）尽きしときは已（すで）に情（じょう）を忘れたり

題名で「酔いから醒めて志を述べる」と宣言するからには、禁酒とはいかぬとしてもせめて節酒（と愛妻）の誓いでもたてるのかと思いきや、ぬけぬけと「世に在ることは大いなる夢に似たり／ゆえに終日酔って縁側に寝そべっている」などと言ってのける。酒飲みの自己弁護もここまでくれば大したものだ。風が吹くのも、鶯が鳴くのも、みんな立派な飲む理由。駄目押しは最後の行の脱力ぶり。アインシュタインの例の写真よろしく、ひょいと後ろを振り返って読者に長い舌を出してみせる李白。漂泊の詩人は遁走の名人でもあるようだ。

生きてこの世にあるってことは長ーい夢を見ているようなもの
だとすればどうしてアクセクしなきゃなんない？
だからぼくは朝から酔っぱらって
縁側でうたた寝するのさ
目が醒めると　庭の
花のなかから鳥の声が聴こえる
今はなんの季節だったたっけと訊ねれば
答の代わりに鶯が春風のなかを飛び回るんだよ
おぬし、なかなかやるな

ってんで思わずまたグラスに手が伸びる
歌でも歌いながら月が昇るのを待っていようと思うんだけど
歌い終わったときにはもう
けろっとそんな気持ちなんか忘れちまっているのさ
……ケセラ・セラ！

李白 7

長干行　　長干の行

妾髪初覆額　　妾の髪の初めて額を覆い
折花門前劇　　花を折りて門前に劇れしとき
郎騎竹馬來　　郎は竹馬に騎りて来たり
遶牀弄青梅　　牀を遶りて青梅を弄びたまいぬ
同居長干里　　同じく長干の里に居り
兩小無嫌猜　　両に小けなければ嫌い猜ること無し
十四爲君婦　　十四にして君が婦と為りしが

羞顏未嘗開
低頭向暗壁
千喚不一囘
十五始展眉
顧同塵與灰
常存抱柱信
豈上望夫臺
十六君遠行
瞿塘灔澦堆
五月不可觸
猿聲天上哀
門前舊行跡
一一生緑苔
苔深不能埽
落葉秋風早
八月蝴蝶來
雙飛西園草

羞じし顔は未だ嘗つて開ばず
頭を低れて暗き壁に向かい
千たび喚ばるるも一たびも回みざりし
十五にして始めて眉を展べ
塵と灰とに同じからんことを願いぬ
常に抱柱の信を存い
豈に望夫の台に上らんや
十六にして君は遠く行き
瞿塘の灔澦堆
五月には触る可からず
猿の声の天の上に哀し
門前の旧き行跡
一一に緑の苔の生いぬ
苔は深くして掃う能わず
落つる葉に秋風の早し
八月に蝴蝶の来たり
双び飛ぶ西園の草

感此傷妾心　此に感じて妾の心を傷ましめ
坐愁紅顔老　坐ろに紅顔の老いんことを愁う
早晩下三巴　早晩に三巴を下るや
預將書報家　預らかじめ書を将って家に報ぜよ
相迎不道遠　相迎えて遠きを道わず
直至長風沙　直ちに長風沙に至らん

杜甫の「新婚別」では夫は兵役に取られて辺境に送られるが、こちらの夫はどうやら商人で地方へ買い出しにでもでかけたらしい。だが通低する若妻の嘆きは同じだ。

題名の長干は南京の近くの商業地。行は、長編叙事詩のこと、もともとは楽曲を意味したそうだ。だから長干行とは、「長干へ行く」のではなく、「長干の物語り」、ふたりが暮らしている場所がそこなのだ。夫が旅立って行ったのは詩のなかほどに登場する瞿塘という四川省の土地、揚子江の上流に位置していて灧預堆という危険な暗礁で知られている。ライン川におけるローレライのようなものか。

「行」というからには、原文の音は調子がよく、朗読するに適していて、歌うことだってできるのだろう。十四、十五、十六歳と、数え歌の要素も入っていて、長い詩をいささかも飽きさせない。五月と八月の対比も、夫の不在の長さをさりげなく示していて、数字の使い方が効果的だ。

だがこの「五月不可觸」という一行をめぐって、またしても吉川幸次郎と英訳の解釈とが食い違う。しかもこちらの英訳は、吉川先生が「最もすぐれる」と太鼓判を押すエズラ・パウンドのものなのだが、吉川先生の「(瞿塘は)水かさのました五月には、うかつに近寄れない危険な場所」という解釈に対して、〝And you have been gone five months (あなたが旅立ってからもう五ヶ月も経ってしまった)〟という理解。これも吉川説が正しいように思うのだが、もしもパウンド説を採るとするならば、「觸」の一字が俄然色っぽく見えてくる。

色っぽいと言えば、冒頭近くに登場する「郎(きみ)は竹馬に騎(の)りて来たり／床(しょう)を遶(めぐ)りて青梅(せいばい)を弄(もてあそ)びたまいぬ」の下り。「牀」はベッド。吉川先生もパウンド先生も、「竹の馬に跨がって遊びにきた幼き日のあなた(夫)は、あたしのベッドの周りをぐるぐる回りながら、手にぶら下げた青梅の実をひらひらさせていた」という解釈なのだが、竹馬を女の子の寝室に持ち込んで、ベッドの周りを走り回ったりするものだろうか? それも片手で青梅の実を弄びながら? ここには小さな禁断の木の実が隠されているように思えて仕方ないのだ。

あたしがまだおかっぱで　お花を摘んで遊んでいたとき　あんたは竹馬でやってきちゃ　お医者さんごっこをしたがった　おんなじ村の幼馴染み　互いの裸を見ながら育った　なのに十四でお嫁になったら　なんだか急に羞ずかしくって　じっと壁向き俯いたまま　呼ばれても振り向けなんだ　十五になってやっと笑えた　そして思った　死ぬまであんたと添いとげたいって　いつも

いっしょにいたかった　なのになぜ？　どうして？　十六のときあんたは遠くへ行っちゃった
急流に奇岩がそそり立って　五月になっても近づけない　猿が悲しく哭くところ　お庭のあんたの足跡の　ひとつひとつが苔に覆われ　もう掃いたってとれやしない　秋風のなか木の葉舞い散り　季節外れの蝶々が　ふたつ並んで飛んでゆく　見ているだけでも涙が溢れて　このままおばあさんになっちゃいそう　お願い、帰ってくるときは　前もって報せてね　どんな距離でも遠過ぎないから　まっすぐそこまで迎えに行くから

李白８

古風

古え(いにしえ)風(ぶ)り

大雅久不作	大雅(たいが)は久しく作られず
吾衰竟誰陳	吾れ衰えなば竟(つい)に誰か陳(の)べん
王風委蔓草	王風(おうふう)は蔓草(つるくさ)に委(す)てられ
戰國多荊榛	戦国には荊榛(けいしん)多し
龍虎相啖食	龍と虎と相(た)がいに啖食(たんしょく)し
兵戈逮狂秦	兵戈(へいか)は狂秦(きょうしん)に逮(およ)びぬ

正聲何微茫
哀怨起騷人
揚馬激頽波
開流蕩無垠
廢興雖萬變
憲章亦已淪
自從建安來
綺麗不足珍
聖代復元古
垂衣貴清眞
群才屬休明
乘運共躍鱗
文質相炳煥
衆星羅秋旻
我志在刪述
垂輝映千春
希聖如有立

正しき声は何(なん)ぞ微茫(びぼう)たるや
哀怨(あいえん)なるは騒人(そうじん)の起るなり
揚(よう)と馬(ば)とは頽(くず)れゆく波を激(はげ)ませども
開(はな)たれし流れは蕩(ゆら)めきて垠(はて)し無し
廃(すた)るるものと興(おこ)るものと万変(ばんぺん)すと雖(いえど)も
憲章(けんしょう)は亦已(またすで)に淪(ほろ)びたり
建安(けんあん)よりしてこのかたは
綺麗にして珍(たっと)ぶに足らず
聖代(せいだい)は元古(げんこ)に復(かえ)り
衣(ころも)を垂れて清真(せいしん)を貴びたまえば
群才(ぐんさい)は休明(きゅうめい)に属(あ)い
運(うん)に乗(じょう)じて共(とも)に鱗(うろこ)を躍(おど)らせぬ
文(ぶん)と質(しつ)と相(た)がいに炳煥(へいかん)として
衆星(しゅうせい)の秋の旻(そら)に羅(つら)なるがごとし
我が志(こころざし)は刪述(さんじゅつ)に在り
輝(かがや)きを垂れて千(ち)とせの春に映(かが)やかん
聖を希(こいねが)いて如(も)し立(さだま)ること有らば

絶筆於獲麟　筆を獲麟（かくりん）に絶たん

詩壇の重鎮が、最近の詩作品の「綺麗なだけで尊ぶに足りぬ」状況を嘆き、かつての詩のパワーを愛惜するとともに、未来に望みを託す。おそらくいつの時代にも繰り返されたことだろうが、さすが李白、スケールが違う。ここで賞讃されている「大雅」とは中国最古の詩集であり、孔子が編んだ『詩経』、その原典はなんと紀元前十世紀にまで遡るというから並大抵ではない「古風」なのだ。李白先生が嘆いている「最近」の詩ですらが、紀元前五世紀以降の戦国時代や秦の始皇帝の頃（紀元前三世紀頃）の話なのだから、口語自由詩がどうしたとか、戦後詩がこうしたという我が国の現代詩論議とはスケールが違う。

それにしても本文二行目「吾衰竟誰陳」（私が衰えて書けなくなったら、一体誰が後を引き継いでくれるのか）とは、なんと自信に満ちた言葉だろう。李白は宮廷詩人として身をたてることができなかったばかりか、晩年には反乱軍の一味として逮捕されたりもして、世間的な栄華とはほど遠かった。とすればその自信はほかの誰でもない自分自身のなかから湧き上がってきたものだろう。

冒頭に引いた「綺麗不足珍」（綺麗ごとばかりで珍重するには及ばない）も身に染みる言葉だ。文語定型という「綺麗ごと」を破壊し、新しいリアリティを目指して始めたはずの「口語自由詩」も、いつの間にか「現代詩」特有の決まり文句に塗れて、どれもこれも似たようなものになってしまった。もう一度それを壊して、破れかぶれでも前へ進むことが必要なのだと頭では分かっていても、筆はついつい旧来のパターンをなぞりたがる。

終わり近くに出てくる「我志在删述」も気にかかる一行だ。「删述」とは「余分な部分を取り除いて述べること。取捨して編集すること」であり、吉川幸次郎氏によれば孔子が前述の「詩経」を編纂したことを踏まえているという。だとすれば晩年の李白は、自分の詩の完成を目指すというより、古今の詩のアンソロジーを編むことを目指していたのだろうか。その選択と配列が自ずと彼の詩学の表明となり、千年後の詩人たちにとっても規範となるような詩の体系づくり。その願いさえ叶うならば、自分自身の詩なんていつでも諦めよう、と言うのだろうか。

あれだけ自由を求めて、独りで山中を歩きまわることを愛した個人主義者が、こと詩に関しては、大きな伝統の流れの前に潔く自我を投げ出している。個性とか時代とか流行を越えたポエジーそのものの、永遠に預かることを夢見ている。それから千二百年以上を経た今、私の手元にある薄っぺらい『新唐詩選』は、李白の願いが見事に成就したことの無言の証であるかのようだ。

最近の現代詩って、とても読めた代物じゃないな
俺が死んだら、この国にはマジで詩人がいなくなるんじゃないかい
どいつもこいつも同じ節回しで
擦り切れたレコードみたいに唸ってやがる
狭い業界のなかだけで睦み合ったりいがみ合ったり

それはこの一元化した価値体系の超管理社会の縮図でもあるわけだが
まともな神経の持主ならとうてい耐えられるわけないよなあ
まだしもポップソングの歌詞の方が面白いし
ひとりやふたり面白い詩を書く奴がいないでもないが
多勢に無勢とはよく言ったもの　押し流されて屹立するってことがなくなった
結局みんな小手先でしか書いてないから
ちょっと目新しくってもすぐに飽きられちまうんだ
いくら字面ばっか整えたって駄目なんだよ
無意識即で訴えるものがなくっちゃ
尤も現代のネット社会は太古の汎神的無文字社会に通ずるところもあるとか
とすればこの現代詩砂漠の行き着いた果てに
全く新しい詩才が続々と現れて
しのぎを削って書きまくる可能性がないとも言えない
テクノロジーの進化によって人間の知性自体が劇的な変化を遂げて
人類総詩人なんてことになったりして
だが俺には関係ないことだ　俺は自分のお気に入りの詩だけを集めて
一冊のアンソロジーを編んでみたいんだ

せめて千年くらいは読み堪えのあるものを、
自我とか個性なんてみみっちい代物が
そのなかに解消されてゆくような「詩の見取り図」を。
その願いさえ叶うのなら
いつでもさっさと引退させて貰いまっしょ！

第十四章　夢がなければ何ひとつ始められない

カール・サンドバーグ

カール・サンドバーグと言えばシカゴである。二十世紀初頭の、『煙と鋼鉄』（一九二〇）の、聳え立つ摩天楼とジャズとギャングたちの、「まだ一度も試合に負けたことのない駆け出しのボクサーの笑いを笑っている」都市の讃歌だ。

それはまた人間への褒め歌でもある。彼が『グッドモーニング、アメリカ』（一九二八）と呼びかけ、『ザ・ピープル、イエス』（一九三六）と高らかに肯定してみせたのは、国家以前の草の根的な民衆であり、法ではなく人間精神によって結ばれた人類という共同体だった。

二十年ほど前、そのシカゴで薄っぺらいサンドバーグ選詩集を手にしたとき、アメリカはすでに実体経済からデリバティブの虚構世界へと入っていたし、「民衆」はもはや死語、街には「消費者」ばかりが闊歩していた。そこではサンドバーグの声はいかにも場違いだった。

ところがその同じ詩集を引っ張り出してきて訳している最中に、テレビから「ハロー、シカゴ」

という呼び声が聴こえてくるではないか。言うまでもなくオバマ大統領の勝利演説だ。「アメリカよ、材木の一片ずつ、煉瓦のひと塊ずつを、手に豆しながら、築き上げていこう」そこには紛れもなくサンドバーグの声が谺していた。ここに訳出した「夜のワシントン・モニュメント」の最後で佇む人影は、歴代の誰よりもオバマを想起させる。

と同時に、オバマの演説は、それが政治家の言説として非凡なものであればあるほど、サンドバーグの詩のもうひとつの側面を際立たせたようでもあった。すなわち国家や人間を超越した自然の雄大さであり、宇宙の無限である。サンドバーグの詩の背後には、たとえ都市を歌ったものであっても、「原野 wilderness」の風が吹き抜けている。無垢な残酷さに満ちた獣の咆哮が響きわたり、凍りついた星々の静寂に満たされている。

その意味で、サンドバーグは、動植物ばかりか鉱物(たとえば「電話線」であり摩天楼の鉄骨だ)すらを歌わせたというオルフェウスのような詩人であり、むしろ非人間的な詩人なのだとも言えるだろう。彼が民衆を歌い、民衆に愛されたとすれば、まさにその非人間的な根源性において、人々の生の深みに触れ得たからにほかならない。

今やぼろぼろになった選詩集の表紙からこっちを見ている詩人の顔は、どことなく森からさまよい出てきたコヨーテのようだ。時と場合によっては、一瞬の躊躇もなくヒトの肉を切り裂き、骨を噛み砕くだろうその野生の瞳には、永遠を背景とした私たち自身の姿が映っている。

特別列車

これは特別列車、最新式のモデルである。

総金属製の全十五車両が、千人の乗客をのせて、青い霞と夜の大気を切り裂きながら大平原を駆け抜けてゆく。

(これらの車両の一切が錆びた鉄の屑となり、食堂車や寝台車で談笑しているすべての男と女が、いつかは灰になる定め)

喫煙車両にいる男に行く先を訊ねてみよう。男、答えていわく、

「オマハへ」

Limited

ローマ人の末裔

そのイタ公の人夫は線路際に腰を下ろして
ボローニャ・ハムのサンドウィッチを齧っている。
列車が通過する、なかでは乗客の男女が
赤いバラと黄色い水仙の飾られた食卓に座って
褐色のソースのかかったステーキや、生クリームを添えた苺や、エクレアを食べ、コーヒー

　を飲んでいる。
イタ公の人夫は干涸びたパンとボローニャを口に押しこみ、
水汲み係の坊やから柄杓で貰った水で流し落とすと、
一日十時間の仕事の残りに取りかかる。
食堂車のテーブルのガラスの花瓶に生けられた
すらりと背の高いバラや水仙が、ほとんど
揺れないくらい線路の道床を真っ平らに均すべく。

Child of the Romans

電話線

わたしは虚空に撓む一すじの銅線、
細すぎて陽に照らされても影ひとつ落さない。
昼夜を違わずわたしは歌う、口ずさみ弦かき鳴らす。
愛と戦争とマネーについて。争いと涙と、労働と欲望について。
無数の男女の死と笑いがわたしのなかを駆け抜けてゆく。
わたしはあなた方の言葉の使者だ、
雨に打たれて雫を垂らし、朝陽を浴びて光り輝く、一すじの銅線。

雑草

アウステルリッツに、そしてウォータールーに
死体を高く積み上げろ。
土に埋めたら、あとは私に任せてくれ——
　私は雑草、すべてを覆う。

ゲティスバーグに死体を積み上げろ
イプレスとヴェルダンにもうずたかく積み上げろ。
土に埋めたら、あとは私に任せてくれ——
二年が経ち、十年が経ち、乗客たちは車掌に尋ねるだろう、
　ここはなんていう場所なんです？
いまどこを走っているの？

私は雑草だ。

あとは任せてくれ。

Grass

レジの赤毛の女の子

髪の毛を後ろに振っておくれよ、赤い髪の女の子。

笑い声を放っておくれよ、自慢のふたつのソバカスは顎の先に残したままで。

どこかで誰かが赤い髪の娘を探している、そしていつの日かひょっとして、その誰かはレストランのレジの前で君の瞳を覗きこみ、そこに恋人を見つけるかもしれない、ひょっとして。

ぐるぐるぐるぐるぐる一万人の男たちが輪を描いて顎の先にふたつのソバカスのある赤い髪の娘を探している。

本当にこの目で見たんだ、連中がぐるぐる探しているのを。

さあ髪の毛を後ろに振って。笑い声を放ってごらん。

Red-headed Restaurant Cashier

帰宅した死刑執行人

夜職場を後に帰路につくとき
死刑執行人は何を思っているのだろう？

奥さんと子供たちと一緒に食卓を囲んで
ハムエッグとコーヒーの
食事をとる彼に向かって、家族は
お仕事は今日も万事順調で
はかどりましたかと訊くのだろうか
それともある種の話題は避けて、代わりに
天気や野球や政治、それから
新聞の四コママンガや映画の話を
するのだろうか？　彼がコーヒーやハムエッグを
受け取ろうとするとき、家族は
彼の手を見るのだろうか？　幼い子供たちが
パパ、お馬さんごっこやろうよ、ほらここに
ロープがあるよと言うとき、冗談めかして答えるのだろうか
今日はもうロープは見飽きたよって？
それとも歓びの焚火みたいにぱっと顔を輝かせて
この世に生きてるってことは素晴らしいな
とでも言うのだろうか。それから月が

女の赤ちゃんがすやすや眠っている部屋の窓から
白い顔を覗かせて、その子の耳や髪の毛を
月光で濡らすとき、死刑執行人は——
彼はそのときどう振る舞うのだろう？　きっと
至極簡単なことに違いない。死刑執行人にとっては
難しいことなんてないはずだから。

Tha Hangman at Home

夜のワシントン・モニュメント

1

垂直に聳え立つ石。
半月に照らされた夜霧に飛び込む
痩身の泳者。

2

二本の木は消し炭の黒。
これはその真ん中に佇む巨大な白い幽霊、

粋だねえ……
強き男よ、強き女よ、来たり集え。

3

八年と言えば長ーい時間だ
おまけにその間中ずっと戦っているのだから。

4

共和国とはひとつの夢にすぎない。
だが夢がなければ何ひとつ始めることはできない。

5

あのクリスマスの日、ヴァレーフォージに吹きつける風はしばしばれた。
兵士たちは足にボロ布を巻きつけた。
雪の上に真紅の足跡……
……いま星空に石が撃ち込まれる……
……半月に照らされた夜霧を裂いて。

6

世間の舌は口さがない。
彼はオーバーのボタンをしめて、ひとりで立っている。
雪嵐と、クリスマスの飾りの赤い実と、物思いに囲まれて
　彼はひとりで立っている。

Wahsington Monument by Night

ご面相

あんたのその顔、
あんたが始終連れ回しているそのご面相、
あんた、自分でそれ選んだわけじゃないだろう、
　な、全然そうじゃないだろう？
あんたはそのご面相を、誰かから
　貰ったんだ、え、そうじゃないかね？
そいつはあんたにこう言った、「これがお前のだ。さあ、
　何ができるか試してごらん」って。

そいつはまるで小包かなにかみたいにあんたに手渡して
　そしてそこにはこう書いてあったんだ、
「返品及び交換には一切応じかねます」
　あんたのその顔。
Phizzog

軒先の住人たちよ、御機嫌よう

ミソサザイにだって人並みに苦労はある。ミソサザイの一家が人間の一家よりも平穏無事であるという理由はない。

連中が騒ぎ立てる様子は、取りこんだ洗濯物にほかの男のシャツとほかの女のシュミーズが混じっているのを見つけたアパートの住人たちと同じである。

ほかの男のシャツとほかの女のシュミーズが、この場合ミソサザイ一家に降りかかった災難なのだが、春の朝、彼らが囀っているのは大体そんなようなことなのである。

ミソサザイ一家に苦労の種はつきない。今や彼らは甲高いスタッカートに併せてミソサザイのジグを踊るかのごとき大騒動だ。
軒先の住人たちよ、御機嫌よう。いつも歌声、ご苦労様。

People of the Eaves, I Wish You Good Morning

トロンボーン・ジャズの切れっぱし

あんた、幸せかね？　幸せになんなきゃ
ダメだよ、坊や――
そうさ、幸せになるんだ。幸せってのは
いいもんだよお。
でもね、幸せ幸せするのはいけないよ、坊や。他の人の
二倍も幸せになったりしちゃあいけない。
他の人の二倍も〈幸せ幸せ〉したような連中に限って、
いったん蹴つまずくや、そりゃあ
ひどい転び方をするものさ。
幸せにおなりよ、坊や、なにがなんでも。でもね、

〈幸せ幸せ〉にはならないように。

原野

私のなかに一匹の狼がいる……深々と突き刺さる牙……引き裂いた肉に向って伸びる舌……湯気立つ生き血を啜る音――　私のなかに一匹の狼がいる、私は原野からそれを受け取り、原野はその狼に私から立ち去ることを禁じたのだ。

私のなかに一匹の狐がいる……銀色がかった灰色の狐……私は匂いを嗅ぎ気配を察知する……風と大気から情報を読み取る……暗い夜を鼻先で掻き分けて眠っている獲物を捕らえ、食べたあとには羽根を地面に埋める……私は輪を描き、輪をくぐり、味方を裏切る。

私のなかに一匹の豚がいる……潰れた鼻と太っ腹……ブーブー喚きながら貪り喰い……陽溜まりのなかで惰眠を貪る機械がある……この豚もまた原野からの贈り物、原野はそれに私から立ち去ることを禁じたのだ。

私のなかに一匹の魚がいる……私は青い海水の通路を抜けてやってきた……ニシンの群に混じっ

て泳いでいた……イルカと一緒に背中から潮を吹いた……この星の水位が下がって……陸地が現れる前……ノアの生まれるもっと前の……創世記の第一章が記される以前のことだ。

私のなかに一匹のヒヒがいる……樹を攀じ登るための爪……犬面……空腹の野蛮な雄叫び……毛がぼうぼうの脇の下……私のなかに眼光鋭く地平を見遣る男たちと……金髪で青い瞳の女たちがいる……今、彼らは洞窟に隠れて身を丸くして眠っている、彼らは待っているのだ……いつでも唸りをあげて殺すつもりで……いまにも乳を遣りながら歌い出そうとして……彼らはじっと待ち続けている——　原野に命じられるまま、私は自分のなかに一匹のヒヒを飼っている。

私のなかに一羽の鷹とモッキングバードがいる……鷹は夢のロッキー山脈上空に舞い欲望のシエラ山脈で戦っている……モッキングバードはまだ露が消えるまえの早朝にさえずっている、希望のチャタヌーガの灌木でさえずっている、願いのオザーク高原の麓に声を響かせている——　この鷹とこのモッキングバードを、私は原野から受け取った。

そうだ、私のなかに獣苑がある、鳥獣たちの集団がいる、我があばら骨の囲いの内側に、我が頭蓋の屋根の下に、我が脈打つ心臓の扉の奥に——　だがそこにいるのは動物だけじゃない、男の心のなかの子供と、女の心のなかの子供、父と母と恋人がいる。それがどこから来たのか、それ

私がこの獣苑の持ち主である、私が物事の是非を決める、私がどこへ行くのか誰も知らない——　私がこの世界の仲間のひとりであり、同じ原野から生まれてきた私が歌い殺しそして労働する。私はこのものなのだ。

Wilderness

お嬢ちゃん、コトバには気をつけて

お嬢ちゃん、コトバには気をつけなさい
お話しするときには誰だってコトバを使うだろう
コトバは声の音でできているね
声の音ってのは、いいかい、空気なんだよ
空気は薄くて軽い、だって空気は神様の息なのだから
炎よりも霧よりも空気は柔らか、
月の光に濡れたクモの巣よりも空気は柔らか、
朝まだきの睡蓮の花よりも柔らかなんだ。
　でもね、コトバは強いものでもある、
　岩よりも鋼鉄よりもコトバは強い
ジャガイモよりもトウモロコシよりも魚よりも牛よりも強い

それでいてコトバは優しい、産み落とされたばかりの鳩の卵のように、
ハチドリの翼の奏でる音楽のようにコトバは優しい。
　だからね、お嬢ちゃん、ご挨拶をするときや
冗談を言ったり、願い事やお祈りを唱えるきには、
　気をつけて、気をつけないで、気をつけて、
　どちらでもお気に召すまま。

Little Girl, Be Careful What You Say

注　本章の翻訳は、*Harvest Poem 1910-1960 by Carl Sandburg,* Harcourt Brace Jovanovich, Publishers, San Diego, 1960 を底本とした。

第十五章　詩歌の本領は愛することと悲しむこと　ジョン・ダン

ジョン・ダンは一五七二年ロンドンに生まれた。当時の英国は激動の時代、年譜を繙くとスペインの無敵艦隊撃沈だの、オレンジ公ウィリアムの暗殺だの、三十年戦争だの火薬と陰謀と血の匂いが立ちのぼる。同時代を生きた文人には一五六四年生まれのシェイクスピアを筆頭に、ベン・ジョンソン、エドモンド・スペンサー、フランシス・ベーコン、ドーバー海峡を挟んではデカルト、パスカル、モリエール、錚々たる顔ぶれだ。

ダンの一族は裕福なカトリック信徒だったが、父親はダンが三歳のときに病死、母親は再婚を繰り返し、親類縁者の誰彼がプロテスタント（英国国教会）との抗争に破れ亡命や入獄を強いられている。彼自身の幼少期も（そしてそれ以降も、晩年英国国教会の牧師として社会的な地位を手に入れるまでは）決して平穏無事なものではなかった。

そんな物騒で厄介な現実を生き延びながらダンが書き続けた詩の特徴は、なによりも発想の奇抜さと話芸の巧みさ、そしてユーモアだろう。それは孤独の底で黙々と石に刻む詩ではなく、羽ペンで流麗に書きつけるなり友人たちに向かって朗読したり、恋人やパトロンに手紙として送りつけるような詩だ。詩の中身は年齢を重ねるにつれて、色恋にまつわる軽みのあるものから、死や神を主題とした敬虔なものへと深化してゆくが、「場」と「他者」を意識した書き方という点では終始一貫していた。なにしろダンは牧師としても、セント・ポール大寺院の主席説教者として名を馳せたくらいなのだから。

ラブレター、口説き文句、語り、冗談、風刺、論評、別辞、祈り、説教……、ダンの詩はさまざまな意匠を纏いつつ、苛烈な現実と渡り合う。浮世の憂さを抱え、老いと死の影に怯えながら、言葉の小舟を操って現実の彼岸（「形而上学詩人」という呼び名に倣って、それをメタフィジカルな世界と呼んでもいいだろう）を目指す。私がダンに最も親しみを抱くのはそういうところだ。彼の詩を読む醍醐味は現代に生きる同じタイプの詩人たち、たとえばサイモン・アーミテージを読むときのそれと本質的に変わらない。実際「香水」なんて、サイモンの新作だと言われても信じてしまうだろう。

つまりダンは（少なくとも私にとっては）極めて同時代的な詩人なのだが、それだけに彼が感じていただろう詩と現実との「折り合いの付け難さ」についても思いを馳せずにはいられない。ダンのような詩人は、かつては吟遊詩人や宮廷詩人、現代ならさしずめ売れっ子コピーライター、いわば「口舌の徒」だ。だが現実を舌先三寸で言いくるめることに命を賭ける詩人も、ひとりの人間として生きて行為しなければならない。そこに否応なく詩を書く主体や倫理の問題が生ずる。

とりわけダンの場合は、絶対的な宗教かつ国家権力である英国国教会の〈説教者〉となったのだ。そこで書かれた宗教詩（「磔」はその一例である）は、現実に拮抗する詩的な言辞であり得ているのか、それとも現実に隷従する（プロパガンダとまでは言わぬとしても、公的なメッセージ性を帯びた）制度的な言説に堕しているのか。ちなみにダンとひとつ違いの弟ヘンリーは、カトリックの僧侶を匿ったかどで逮捕され獄死している。だからといってダンの宗派替えを変節と呼ぶのはあまりにもナイーブだが、そういう現実レベルでの「立場変更」は、詩の言葉の現実への係わり方にも変化を及ぼさずにはいられないはずだ。だとすればダンが自分の詩人としてのありかたについて、ある種の屈託を抱えていたとしても不思議ではないだろう。

晩年の宗教詩を読んだあとで、ふたたび若いころの恋愛詩や風刺詩を読み返すと、私は思い描かずにはいられない。いかめしい僧衣に身を包んだ大主教区聖職者会議議長ジョン・ダンが、天上に魂の救済を求める厳粛な詩を書いた勢いで、つい筆がすべって、諧謔と皮肉と鋭い批評精神にとんだ世俗の詩を書いてしまうところを。

神への冒瀆だとわかっていても、現実の呪縛から解放された詩の奔放でアナーキーなエネルギーに、抗うすべなく乗せられてしまう天性の「口舌の徒」、宗教であれ政治であれ、地上のあらゆる価値体系から自由な、言語のトリック・スターとしての詩人ジョン・ダン――。

あるいはそれは砂漠の蜃気楼のような幻想であり、私自身の見果てぬ夢に過ぎないのかもしれない。だがジョン・ダンを読むということは、束の間であれその夢幻を生きることだと思えるのだ。

アホの三乗

オイラはアホの二乗なり、判ってるって、
恋しただけでもアホなのに、そいつを
　くだくだ詩で歌い上げちまったんだもの。
なまじきっぱりふられなかったばっかりに
のぼせあがった揚げ句の若気の至り。
あのときオイラは思ってた、森の深くのせせらぎが
海水から涙のしょっぱさを洗い流すように
　恋の痛みを歌の調べに載せたなら
晴れ晴れと楽な気持ちになれるだろうと。
　悲しみを七五のリズムで縛り付け
易々と飼い馴らすこともできるだろうと。

だからオイラは詩を書いた、するとどこかの

目立ちたがり屋が、朗々と声を張り上げ、
　オイラの痛みを歌うじゃないか、
みんなは手を叩いて喜ぶが、歌の調べに揺り動かされ
　悲しみは我が胸に蘇る。
詩歌の本領は愛すること悲しむこと、
書くはよいよい、読むのは辛い
　愛の悲しみいや増すばかり、
おまけにいまや世間に知れて笑い者
　二倍のアホがついに三乗、白皙の
文学青年、愚の骨頂。

The Triple Fool

蚤

この蚤をみてごらん、君が僕に拒んでいるのが
どんなにちっぽけなものだか分かるから。
いいかい、この蚤はまず僕の血を吸い、それから君の血を吸った、
つまりこいつのなかでふたりの血は混じっているのさ。

だからって君は、自分が罪を犯しただとか、ふしだらな女だとか、処女を失っただなんて思わな
いだろう？
なんとも情けない話じゃないか
僕らがモジモジウジウジしているうちに
蚤に先を越されちまうだなんて。

あ、叩かないで、一匹の蚤にも三人分のタマシイ、
これってもしかしたら結婚よりも濃い関係？
だってこの蚤は君であり僕であり、僕らの
新婚のベッドであり、マイホームでもあるんだから。
君の両親や君自身がなんと言おうと、このちっぽけな
黒い虫のなかで僕らは結ばれ、ふたりきりの暮らしを始めたのさ。
うっかりこの蚤を殺したらそれは僕を殺すこと
用心、用心、だってそれは自殺でもあるわけだし
いや、蚤も合わせて三つの殺生、あな恐ろしや。

あーあ、殺っちまったよ、罪のない血が

君の指先を赤く染めてる。可哀想に
こいつがなにしたって言うんだい？
君の血をほんの一滴貰っただけじゃないか。
仕方ない。じゃあ訊くけど、こいつに血を吸われて
君と僕は健康や純潔を失ってしまっただろうか？
ね、なんにも恐れることはないって。
安心してこの僕にも身を任せてごらんよ、
蚤に嚙まれるほども痛くはしないから。

別れ——君、嘆き給うことなかれ

君子たるもの死ぬがごときで
じたばたしたりはしたくないもの
やれ息が止まっただのやれ吹き返しただのと
騒ぐ周囲をよそに一人旅立つ

いまは大いなる沈黙にぼくらの身体を溶かしてゆこう

The Flea

泣くな心よ、これ見よがしな溜息つくな
ぼくらが共に生きて味わった歓びを
　世間に明かすは罪なこと

泣きわめく人は地震に似ている
　巻き添えにされる方こそいい迷惑だ
悲しみに耐えている人は星の瞬き
　深遠なれど危険はない

地面に這いつくばって愛し合う者の
　魂は感覚だけに成り果てて
死に肉体を奪われた途端、相手が
　いるのかいないのか分からなくなる

だが僕らは愛によって精錬されて
　自分を超えたものへと作り替えられた
僕らは互いの霊魂をしっかりと摑んでいるから

眼や唇や手がなくなっても一向に困らない

僕らの魂はふたつでひとつ
いま僕は旅立ってゆくけれど、君よ
嘆き給うことなかれ、ふたりはむしろ延びてゆくのだ
透き通らんばかりに打ち延ばされた金箔さながら

よしんば僕らがふたりだとしても、それは
一個のコンパスの二脚のようなもの
君の魂は軸足の方、ちっとも動いている風には見えないが
もう片方が動くにつれて、やっぱり君も回っている

まん真ん中にありながら
片割れが周縁を辿ってゆくとき
軸足もまた斜めに傾いで、その行方を追う
片割れが元に戻れば軸足はもう一度真っ直ぐに立つ

そんな風に君は僕を支えてくれる
いま僕は外に向かって弧を描きにでてゆくけれど
君という軸足のお陰で円は完全になり
僕は自分の終わりを、再び始まりへと繋いでゆけるのだ

A Valediction: Forbidding Mourning

香水

一度だけ、たった一度だけ君と一緒だったことがバレたお陰で、なんたる理不尽、君のほかの不始末まで全部僕のせいにされちまったよ。

まるで盗みを働いて捕まった男が、裁判所に立たされるや、その年に起こったすべての盗難の濡れ衣を着せられているようなもんだ。

哀れな僕は、（この裏切り者の罠にまんまとかかって）君の水ぶくれのオヤジさんから吊るし上げを喰らっている。

これまでだってオヤジさんは、まるで怪物退治でもするど迫力で、眼をギラギラさせて僕の尻尾を摑もうとしてきたし、ことあるごとに君と僕がイタシテいるところを見つけたなら、ただではおかん、君の美しさの核心にして、僕らの愛の糧、すなわち君の遺産相続権を取り上げるぞっ

て脅かしてきたのだが、僕らはそんなことにもくじけずにこっそり逢引を重ねてきたのだ。

　君の不死身のオフクロさんだって、ベッドで寝たきりになりながら、かといってあっさりくたばりもせず、昼間はぐうぐう寝て過ごし、夜になったらぱっちりお目目を開き、君が夜更けにそうっと家を抜け出して、明け方またそうっと帰ってくるのを見張っているし、優しい素振りで君の手をとったかと思いきや、なんのことはないどんな指輪やブレスレットをしているのかちゃっかり観察、キスしながら君の顔色の変化を窺い、腰に手を回してはお腹が膨れてはいまいか、変わった肉の名前を口にしては、君が異常食欲を示すんじゃないか、血色が悪くなったり、頬が火照ったり、溜息をついたり、汗をかいたりするんじゃないかと鵜の目鷹の目、わざとらしく自分が若い頃にしでかした猥らな振る舞いを打ち明けて、君にも罪の告白をさせようと躍起になっていた。

　だが僕らの愛はこれら卑劣な策略を敢然と撥ね除けて、君をして実の母親を欺くべく駆り立てたのだった。

　すると今度は君の幼い弟たちが、まるで妖精さながら僕らの部屋に忍びこんできて、一晩じゅう様子を窺い、翌朝になるとオヤジさんの膝の上にのっかって、お菓子欲しさに一部始終を告げ口する始末。

　とどめはあの身長二メートルを超える鉄面皮の下男、罵るたびに、そしてそういうときにだけ、神の名を口にする罰当たり、玄関の門ひとつ閉めるにしても、ロードス島の巨石像もかくやと思しき大股でどしどし歩いていく奴、たとえ地獄に他の責め苦があらずとも、きっとあいつだけは待ち構えているに違いない、そう思うだけで僕は震え上がったものだが、そんな奴が君のオヤジさんに雇われて見張っていたにも拘らず、僕らはキスひとつ抱擁ひとつ見つかりはしなかった。なのに、ああ、それなのになんたるドジ、僕は愚かにも自ら裏切り者を引き連れて敵陣へ乗りこんでいったってわけだ。

あのお喋りの香水のことさ、僕が入っていった途端に香水は君のオヤジさんの鼻先に向かって喚きたて、あっけなく僕はお縄頂戴、オヤジさんときたら、まるで暴君が自分のベッドに火薬を仕掛けられたのを嗅ぎ付けたかのように、癇癪を起こしたものだった。

もしもあれがひどい悪臭だったなら、オヤジさんはきっとそれが自分の足だか息の臭いだと勘違いしたに違いない、だがここは島国、いるのはせいぜい牛か各種の犬くらい、美しいユニコーンを見たって畸形呼ばわりするようなお国柄、オヤジさんにとっても「美しいもの」は「変なもの」でしかない、なにしろ自分自身が美なんてかけらも持ち合わせていないのだからね。

僕は自分の衣服にも、衣擦れの音など立てないように言い聞かせ、履きつぶしの靴にだって、黙っていろよと命じておいたのに、おのれにっくき香水よ、まんまと裏切り寝返って、眼に見えぬのをよいことにぬけぬけと、僕に片足かけたまま、もう片足をオヤジさんの方へ伸ばしちまいやがった。

香水よ、ついに化けの皮を剝がしたな、お前の正体は大地のウンコ、地面のオナラ、人の感覚を狂わせて健康なのか病気なのかも分からなくさせてしまう魔物。

香水なんかをつけた日には、癩病病みの娼婦の息を吸いこんで、愚かな愛は死に至り、つけた男は女装癖など疑われ、赤っ恥かくのがおちだったのだ。

香水よ、おまえがちやほやされるのは、虚栄が実質よりも巾をきかす王子の宮殿のなかだけだ。お前が神殿で燃やされるのを神々はお喜びになるけれどそれはいい匂いがするからじゃない、お前が滅ぼされるのがいい気味だからだ。

お前の成分のひとつひとつは、なんともひどい臭いじゃないか、個々を憎んで、全体を愛せってか?

どんなにいい匂いを放ったところで、あっという間に消えるじゃないか。そもそも珍奇であることと、善良たることは相反する性質なのだ。

僕の持っている香水はひとつ残らず、君のオヤジさんの死体に振りかけて防腐剤代わりに使うとしよう。

え、なんだって? あのオヤジのことだから、死んでも死んだりしないって?

参ったな、まったく。

The Perfume

礫

人智を超えた奇跡によって、あの方は
ある者には信心を、別の者には嫉妬をお手向けになった。
素朴な心の崇めるものを傲慢な心は憎むもの
信心に駆られ、嫉妬に駆られて、人々はあの方の足許に群がった。

だが一番多数だったのは人非人の輩、彼らは欲し
実行した、この世の運命を創りたもうた穢れなき方の
運命を踏みにじり、その生命の無限の長さを
人の一生ほどの短さに縮めることを。

いや、それどころか釘一本分の短さにだ。あの方は罪を着せられ
十字架を担がされ、痛みに喘いだ。だが十字架が
あの方を担いだとき、苦しみはいや増し、ついに無惨な死に至る。

いまやあの方は天に召された。主よ、どうか私を
あなたの御許へお近づけ下さい、あなたは死を以て人をお恵み下さいました、
どうかあなたの血の一滴で私の魂の烈しい渇きを癒して下さい。

La Corona 5. Crucifying

注　本章の翻訳は、*John Donne Selected Poems*, J.M. Dent, London, 1997を底本とし、岩波文庫版『対訳ジョン・ダン詩集』（湯浅信之訳編）を参考とした。

第十六章　歓びが孕み、悲しみが産み落とす

ウィリアム・ブレイク

　ウィリアム・ブレイクは一七五七年、靴下商の三男坊としてロンドンに生まれた。学校へは行かず十歳から絵を習い、十四歳で彫版師の住みこみの弟子となる。中世以来の徒弟制度がまだ生きていたのだ。しかし時代はおりしも近代の幕開け。海峡の向こうではフランス革命が起こり、大英帝国でも「自由と個人」が「因習と共同体」に取って変わろうとしていた。そんな時代の狭間でブレイクは「個人主義と急進的思想を持った彫版職人」とでも言うべき道を歩むが、独立しても弟子は持てずかと言って個展を開いても見向きもされず、経済的にも芸術家としても恵まれることのないまま、一八二七年七十歳でこの世を去った。

　と書いてみてもどこかしっくりこない。そういう現実はたしかにブレイクの生涯を左右したのだろうが、彼の詩は地上の出来事を超越したところで歌われているという印象があるからだ。最もそう感じさせるのは、『無垢と経験の歌』に繰り返し登場する「幼子」のイメージだろう。生後二日

目の赤ん坊であれ、羊飼いの少年であれ、あるいはロンドンの孤児であれ、彼らはいずれも天上の喜びに包まれた「無垢」なる存在。それが地上に生まれ落ちて知る悲しみと苦しみこそ、ブレイクの言う「経験」の内実だった。

天の無垢を守り、また失われたそれを取り戻すために、地の経験と命がけの戦いを繰り広げる——まさにそのようにしてブレイクは困難な生を生き抜き、詩を書き続けた。彼の詩が地上を超越しているといったのはそういう意味であって、現実の悲惨から目をそむけて空想の世界に遊ぶ耽美的な浪漫主義のことではない。

この苛烈な超越性が、少なくとも私にとっては、ブレイクの詩の魅力であると同時に難しさでもある。彼の書く英語は比較的平明で、おまけに彼自身の版画が添えられている。その版画も技巧ではなく全身のエネルギーによって描かれたような素直なタッチだ。つまりブレイクは言葉の真の意味において、自らの伝えんとするところを illustrate（明るく照らしだすことによって説明する）している。にもかかわらず、私にはときどきそれが自分からほど遠いものと感じられるのだ。ブレイクの（眉間に開かれた第三の）目は、まっすぐ空の彼方に向けられ、凡人には見ることのできない世界を自明のこととして語っている。そこには「読者」の入りこむ余地などないかのようだ。彼が幻視者とか預言者詩人と呼ばれる所以だろう。

初期の短詩に比べると、併せて訳出した「穢れなきものの気配」や「閻魔の呟き」はぐっと現世的で、ほとんど教訓いろはカルタの世界である。以前からブレイクはなにを思ってこんなものを書いたのだろうと不思議だったのだが、これも超越性という観点から読み直してみると納得がいった。天から落ちてきた幼子が、地で泥まみれ傷だらけになりながら、ようやく中年に差し掛かったとき、片方からは地獄の阿鼻叫喚が聞こえ、もう片方には無垢の復活の予兆が息づいている。その中間に、五条大橋の弁慶のごとく仁王立ちしたブレイクの、これは更なる合戦の雄たけびにして、自らに言い聞かすべき戦術戦法の書ではなかったか。

そういうブレイクに己を重ねてみせることなど到底無理だが、それゆえにこそ私は彼の詩を読み続けるだろう。ブレイクを読むということは、絶対的な外部性を（言葉のマナとして）食べるに等しいことかもしれない。

我輩は赤ん坊である

「まだ名前はない。
なにしろ生後二日目なのだから」
なるほど、それではお前をなんと呼ぼうか？
「居心地はすこぶるよろしい。
我輩は『歓び』と名乗るとしよう」
いかにもそれはお似合いだ。

あどけない歓びだ。
二日前に生まれたばかりの歓びだ。
それがいまのお前の呼び名。
おや、笑っているね。
ではお前に歌ってあげよう、
あどけない歓びの歌。

笑い唄

森の梢が　はじける声で笑いだし
小川のせせらぎ　えくぼ浮かべて駆けてゆく
人のこころが　風をくすぐり
山のみどりが　つられて一緒に笑いだす
草の葉ふるわせ　牧場が笑い
バッタはおなかを　かかえて笑う

みーちゃん、すーちゃん、えっちゃんは
まあるいお口で「あっはっは」！

木蔭で笑う色とりどりの小鳥たち
食卓にならぶ草の実　木の実
ぼくといっしょに　歌っておくれ
声をあわせて「あっはっは」！

迷子の子供

「父さん！　父さん！　どこへゆくの？
ねえ、そんなにはやくあるかないで。
父さん、だまってないで、なにかいってよ。
ぼく、まいごになっちゃうよお」

夜は暗く、父の姿はどこにも見えない。
哀れな子供は露でぐっしょり。

Laughing Song

ぬかるみに足をとられて、泣きだして
動いているのは霧ばかり。

土と小石

「愛って耐えることなのね。
自分のことなど顧みず
ひたすら相手に身を尽くし、
地獄の底に天国を見つけることなのね」

と、ひとかけらの土は歌った
牛の蹄に踏まれつつ。
と、川の底から小石がひとつ
声を張り上げ歌い返した。

「愛なんて自己チューなエゴイストさ、
己の欲望のために他人を使う。

相手が泣けば泣くほどいい気になって
どんな天国だって地獄に変えてしまうのさ」

蠅

蠅よ、
はかないひと夏を楽しんでいたお前を
浅はかな私の手は
叩き落としてしまった。

この私とて
お前と同じ蠅ではないか？
でなければお前こそ
私と同じヒトなのではなかったか？

私もここで踊っている
飲んで、食べて、歌っている

いつの日か盲目の手が
私の羽根を叩き落としてしまうまで。

我思う、ゆえに我あり
生きて力にあふれ息をしている。
我思わざれば
即ち死——　だとすれば、

私は一匹の
幸福な蠅、
今を生き
いつか死にまする。

　穢れなきものの気配
ひと粒の砂に世界を視る
一輪の野花に天国を。

The Fly

このてのひらに無限を摑む
そのひとときに永遠を。

籠のツグミの羽根の赤さは
天国燃やす怒りの炎。
鳩舎にぎゅうぎゅう詰めにされたなら
鳩とて地獄をひっくりかえす。

主人の家の軒先で飢えてる犬は
国が滅びる不吉な前兆。
鞭で打たれて荷を曳く馬は
人間どもの血も流れよと天に嘶く。

狩りに追われる兎の悲鳴に
脳の神経ささくれ立って
雲雀の翼が傷つくたびに
ぴたりと天使の歌が止む。

兜かぶったシャモの姿に
朝の光も怖じ気づき
狼や獅子が吠えたてるたび
地獄の死者が立ち上がる。

鹿の足どり、眼で追う束の間、
ひとの心は憂いを忘れる。
羊肉めぐって争う人々
羊は責めない、肉屋の包丁。

夕べをすぎて羽搏く蝙蝠、
なにひとつ信じられない哀れな脳みそ。
夜を招いて啼く梟、
無信心者の怯えるタマシイ。

小鳥のような娘を泣かせる野郎は

男どもにも毛嫌いされる。
牡牛のような男を怒らせる奴には
女だって愛想を尽かす。

いたずらっ子蠅を殺して
蜘蛛に恨まれ
黄金虫の妖精を苛めた報いに
果てなき夜に四阿を紡ぐ。

葉を這う毛虫も
世の母の嘆きを嘆く。
蛾も蝶々も、殺める勿れ
最期の審判の日は近きがゆえに。

戦地に向かって馬駆る者は
極地の柵を越えられまい。
乞食の犬に寡婦の猫

餌やるたんびに自分が肥える。

蚊は夏の歌に酔いしれて
毒舌家の舌から毒をうつされ
蛇とイモリの吐く毒は
ねたみそねみの足の汗。

(以下六十四行省略)

お上公認の娼婦に賭博師
寝るもスルも国のため。
夜を貫く遊女のよがりが
陛下のシーツを縫い上げる。

真冬の叫び、敗者の呪いが
亡国暖炉で舞い踊る。
夜毎朝毎
不幸に生まれつくものがいる。

朝毎夜毎
甘美な歓びに生まれつくものも。
甘美な歓びに生まれつくもの、
果てなき闇夜に生まれ落ちるもの。

瞳の奥をば覗きこまねば
嘘を信ずる羽目になる。
夜に生まれしもの夜に果ててゆくさだめ
魂を光のなかに置き去りにして。

光こそ神の御姿
闇夜に喘ぐ魂を照らしだす、
けれど昼の世界に棲む人の眼には
人の姿が映るのみ。

Auguries of Innocense

閻魔の呟き

種蒔きの春には学び、刈りとりの秋には教え、冬はしたい放題やり放題。
青年よ、荷馬車に鋤をくくりつけ、死人の骨を轢いてゆけ。
過ぎたるは、智慧の御殿に至る道。
用心とかけて、不能（インポ）の古女房と解く。金はあっても器量に欠ける。
やりたいばかりでやらぬ奴から蛆が湧く。
ミミズの切れ端、鍬を恨まず。
水が好きなら川に浸けたろ。
アホの見る木に、カシコの見る木、同じ木なのにどこかが違う。
輝く笑みを持たぬ奴、死んでも星にはなれまいで。
永遠は時の娘に片思い。
貧乏閑無し、悲しむ間も無し。
愚者の一生を刻んだ時計に、賢者の時は測れまい。
網と罠で仕留めた獲物にゃ、どこかに必ず毒がある。
飢饉の年には数と秤と巻き尺を持って来い。
自分の翼で羽搏く鳥に、高すぎる空なんかあるもんか。

傷に仇打つ死体はいない。
お先にどうぞが、なによりもの徳。
アホも極めればカシコになる。
愚かさは非道の隠れ蓑。
恥じらいは見栄のうわっぱり。
監獄の壁は法律の石、売春宿の壁は宗教の煉瓦。
孔雀の気品は神のご威光。
山羊のスケベは神の賜物。
獅子の怒りは神の叡智。
女のハダカは神の傑作。
悲しみの果てに笑いあり。歓びの果てに涙あり。
獅子の咆哮、狼の遠吠え、嵐の海の唸り声、
　　振り下ろされる剣の刃は、永遠のひとかけら
　ひとの眼には収めきれない。
キツネ、罠を恨めど己は責めず。
歓びが孕んで、悲しみが産み落とす。
男たちよ、ライオンの毛皮をまとえ。女たちよ、羊毛のフリースを。

鳥の巣、蜘蛛の網、人の友愛。

自分勝手に笑うアホも、しかめっ面してむくれるアホも、肩書きつければ賢者で通る。

昔の噂、今や真実。

野ネズミ、イエネズミ、キツネ、ウサギは根っこを漁り、ライオン、トラ、馬、象は果実を求める。

桶は溜め、泉は溢れる。

物を思えば無限が満ちる。

思った通りを口にするなら、イヤな奴から去ってゆくだろう。

信ずることさえできるなら、すべてはまことの姿なり。

鷲が鴉の真似をして、一生を棒に振り。

キツネは自分のことで精一杯だが、神は獅子まで養いたまう。

朝に考え、昼に働き、夕には喰って、夜は寝ていろ。

汝の命令に従いし者、汝自身よりも汝を知れり。

鋤が掛け声に従うように、神は祈りを聴きたまう。

怒れる獅子は、指図する馬よりも多くを知る。

溜まり水には毒が湧き。

過ぎたるを知らぬもの、及ぶも知らず。

アホの戯言に耳を貸せ！　王様並みの演説だ！
火の目、風の鼻、水の口、土の髭。
意気地なしほど意地悪である。
(問) 樺の木に伸び方を訊くリンゴがどこにある？
(答) 馬に獲物の捕り方を訊くライオンがいるところ！
有難く受け取る者ほど多くを受け取る。
あっちがアホでないのなら、こっちの方がアホだったりして。
無邪気に歓ぶタマシイは穢そうにも穢せない。
人が鷲を見上げるとき、そこに見るのは天才の片鱗。だから君、上を向いて歩こうよ。
毛虫が一番きれいな葉っぱをむしばむように、坊主は一番尊い歓びを禁止する。
一輪の花を創るのは世紀を超えた大事業。
責められて首を竦め、褒められて手足を伸ばす。
ワインは古いほど上等だが、水は新しいほど美味しい。
祈りを鍬で耕すなかれ、お褒めの言葉を苅るなかれ。
喜びよ、笑うでない。悲しみよ、泣くでない。
頭は尊く、心は哀れ、ちんちんキレイで、手足はすらり。
鳥には空が、魚には海があるように、下劣なるものには蔑みを。

鴉はまっ黒い世界を夢見、梟はまっ白な世界を夢見る。

おのずと溢れ出るものこそ美しい。

ライオン、キツネに知恵を借り、策を弄す。

凡人はカイゼンを重ねて真っ直ぐな道に至る。だがカイゼン糞喰らえの曲がり道こそ天才の道。

ヤル気もないのにヤリたがるのは、寝た子を殺してからにしておくれ。

ヒトがいないと自然は荒れる。

頭のなかで分かっても、心の底から信じなければ、はなから聞かぬと同じこと。

もーいいかい？　まーだだよ！

Proverbs of Hell

＊本章の翻訳は、*William Blake edited by J. Bronowski*, Penguin Books, London, 1958 を定本とし、岩波文庫版『対訳ブレイク詩集』（松島正一訳・編）を参考とした。

第十七章　もうじき僕は死ぬるでしょう

ジョン・キーツ

ジョン・キーツは一七九五年のロンドンに、貸馬車屋の長男として生まれた。六歳のとき、弟のエドワードが病死する。八歳のとき、父トマスが事故死する。母親は再婚し、子供たちは祖父母のもとへ。九歳のとき、その祖父が死亡。十四歳で母が死に、今度は祖母が後見人に。十八歳、その祖母が亡くなり、ジョンは幼い弟妹とともに孤児となる。

なんとも死屍累々たる年譜である。だがそれも長くは続かない。二十一歳、弟のトムが結核に罹患。献身的に看病する兄のジョン。二十三歳、当の本人に結核の兆候。二十四歳、病気ゆえに交わしたばかりの婚約凍結。二十五歳、転地療養先のローマで客死——

キーツの短い生涯には、咳の音と消毒液の匂いがこびりついているが、それでも足りないとばかりに彼は十五歳で外科医の見習いとなり、二十歳で薬剤師と開業医の資格を取得している。まさに病理学的な半生である。

だがその年の暮れ、キーツは医者ではなく詩人になることを決意する。残されていた時間は僅か四年にも満たなかったが、あたかもそれを知っていたかのごとく、彼は矢継ぎ早に長短数々の傑作をものにしてゆく。いや、意識の深みの予知夢的なレベルにおいて、彼は実際にそれを知っていただろうし、ここに訳出した一連の頌歌（Ode）は、しつこい喉の痛みをおして書かれたものだった。近い将来自分がここから立ち去るだろうという氷のような認識と、その裏返しとして耐え難いばかりに研ぎ澄まされる生の感覚――それがキーツの詩の底辺を形成した。

だがそこから実際に詩を立ち上げるには、感覚とは別の種類の力が必要だった。キーツはそれを思考の領域に求めた。チョーサー、シェイクスピア、ミルトンといった古典から同時代のバイロン、シェリー、ワーズワースに至るまで、彼は貪るように詩を読み耽る。そして弟妹や友人たちに書き続けた膨大な手紙のなかで、彼独特の詩論へと練り上げてゆく。

「想像力がゆたかであると同時にその果実についても注意ぶかい人――半ば感覚によって生き、半ば思考によって生きようとする人――そういう人は必然的に年を経るにつれて哲学的な心をもつようになる」（田村英之助訳『キーツ・詩人の手紙』より）

かくして感覚と思考とが相即不離となって詩を生み出してゆく。Beauty is truth, truth beauty という有名な一節（「ぎりしゃのつぼ」）は、美＝感覚と真＝思考とのデュアリティという点で、キーツの本質そのものだ。

友人たちの手で残された肖像画や生前に石膏取りされたマスクを見ていると、いかにも繊細で優しげな文学青年が思い浮かぶが、詩人としてのキーツははるかに骨太で野心的な戦略家だ。そしてその詩は美の翳に燃焼する生命の壮絶さと妖しい死の歓びを秘めている。ここに訳出した代表作「ナイチンゲールの歌声を聴きながら」に描かれている鳥の鳴き声も、日本の早春の鶯のそれというよりは、夏の盛りの滝しぶきのような蟬時雨や、地底から湧き上がる虫の音にむしろ近いのではないか。

ローマまで付き添った友人のセヴァーンはキーツの最期の言葉を次のように伝えている。「セヴァーン――ぼくは――起こしてくれ――もうだめだ――安らかに死ぬ――こわくはない――大丈夫だ、ありがたい、遂に来た」（前出）キーツにとって、死とは生を奪取されることではなく、むしろ長年離れ離れだった恋人と再会するようなものだっただろう。それは同時に、片時も忘れることのできなかった詩への、最終的な回帰でもあった。

ホメロスに

広大な無知の岸辺に立ちはだかって
ぼくはあなたの声を聴き、キクラデスの島々の波音に耳を澄ます
砂浜に腰を下ろして目を閉じて、はるか沖合の
珊瑚礁をめぐるイルカたちのすがたを夢見る人さながら

あなたは眼が見えなかったって？　でもジュピターはあなたのために
天のカーテンを開けて目隠しを切り裂いてくれたし
ネプチューンは潮騒でテントを作り
牧神パンは森の蜜蜂にあなたの歌を歌わせたね

ほら、闇の岸に光が打ち寄せてくる
断崖絶壁の向こうから足跡ひとつない草原が現れる
そして真夜中には明日の芽が宿ってらぁ

鋭い盲目は三つの眼に匹敵するというけれど
あなたにはまさにそんな視力が備わっていた、地上と天空と冥界を
同時に見据える月のまなざし……

To Homer

笑う理由

何ゆえ僕は笑うのか？

誰にもそれは分からない。神様にも、
地獄の閻魔様にも、僕の笑いの謎は解けない

そのわけを知っているのは
いつか死ぬ哀れな僕の心だけ、ねえ
心よ、どうして僕は笑ったりできるんだろうか
こんなに暗い、暗い、世の中で？

問えば問うほど気は滅入る
それでも僕は笑ってる、脆い借り物のからだを纏って
至福なるものに空想の限りを尽くして

いっそ今夜ぽっくり逝けたらなあ
生の徒花を派手に散らして――
詩よりも名声よりも美よりももっと、死は
勿体ない、生の極みの贈り物

'Why did I laugh tonight?...'

ぎりしゃのつぼ

1

けがれをしらぬしじまのはなよめ
しずけさとはるかなときのおとしだね
ひとのうたよりあまくせつなく
ぎりしゃのつぼはかたりつぐ
いまはなきはなのさだめを

くさをまとったつぼのからだに
こめられたかみのささやきひとのさけび
おやしろで、またまきばのはずれで
おいすがったのはだれ？
くちびるをそむけたのはだれ？

とおいそらからふえやたいこ

くさむらでくんずほぐれつ
からみあうふたつのたましい
なすすべもなくほとばしったのは
どんなよろこび？

（中略）

5

あてねのびぼう！
りんとしたたたずまい！
もりのこずえとしたくさのかみかざり
だいりせきのおとことおんな！

つぼのたたえるちんもくが
ぼくらをこころのそとへそとへとかりたてる
えいえんのほうへ、あの
つめたきまきばへ！

ぼくらのとうにしにたえたあとも
このつぼだけはのこるだろう
ひとのしらないかなしみをうちにたたえて
そっとかたりかけるだろう

「きれいはほんと　ほんとはきれい
このよにいきてしるのは
それだけ　ただのそれだけ」

ナイチンゲールの歌声を聴きながら

1

ああ、胸が痛む　心は青ざめ痺れてくる
まるで毒の杯でも呷ったか
麻薬でも打ったみたいに
胸が痛んで心は青ざめ
意識は忘却の川に溺れてゆく

Ode on a Grecian Urn

歌ってばかりのお前が羨ましいからじゃない
お前の歓びが僕まで歓びの果てへと追いやるからだ
しなやかな翼持つ森の妖精よ
ブナの緑の木蔭のどこか　音楽の空間で
お前は暢気に夏を祝うよ

2

お前の歌を一杯のワインに喩えようか
それは深い地下の酒倉で何年も寝かされて
春の恵みに満ちた新緑の香りを放つ
南国の歌と踊り　太陽の下の陽気な騒ぎの味がする

お前の歌声をなみなみと満たされたフラスコに喩えようか
ぽっと頬を染めた初心なミューズに息を注がれ
縁に弾ける銀の泡粒
薄紅に色づく注ぎ口

お前を飲み干してこっそり僕もおさらばしようか
この世から　お前といっしょに
薄暗いあの森の奥へと

3

消えてゆこう、溶けてしまおう、忘れ去ろう!
木々の高みで暮らすお前の知らないヒトの苦しみ
疲れ果て、熱に浮かされ、震え慄き
地上で僕らは互いの呻き声を聴きあっている
寝たきりの老体の先で揺れる悲しき白髪
血の気を失い幽鬼のごとく痩せ細り死んでゆく若者たち
森の外を思えば心はたちまち
鉛色した悲嘆でいっぱい
森の外では美でさえも

どんよりした魚の眼
惚れたはれたも二日ともたぬ

4

僕はもう現実なんて懲り懲りなんだ
お前の元へ飛んでゆこう　酒の力を借りるまでもない
目には見えない詩の翼を広げるだけでいい
小心な理性が逃げ出してもかまわない

お前といっしょなら　夜はやさしい
月の女王様だって玉座に載ってお出ましになるだろう
星々の家来を引き連れ

けれど今、ここは真っ暗、くらのくら
ただ天上から漏れ落ちてくる僅かな明るみが
鬱蒼たる茂みと苔なす小径の奥処へ
夜風とともに消えゆくばかり

5

あれは、何の、花だろ、足元で、揺れているのは？
あれは、何の、香りだろ、枝の間から
ほのかに、ほのかに、匂って、くるのは？
闇に、酔いしれ、心は、夢見る
叢や、木々の茂み、野生の、果樹の、枝先に
季節が、飾る、花の恵みを

白い、サンザシ、牧場の、野バラ
草に、埋もれて、褪せた、スミレ
ほころび、かけた、マスクローズは
五月が、産んだ、最初の、子供
零れ、そうな、露の、葡萄酒
夏の、日暮れの、蝿の、羽音

6

暗闇に耳をすます……　僕はいつだって
安らかな死というものに半ば恋して生きてきた
磨き上げた韻律の言葉で呼びかけて
最後の吐息を奪ってくれるよう頼んだこともあった

だが今ほど死を豊かに感じることはない
真夜中にどんな痛みもなしで死んでゆけたらなあ
そのときこそ、夜鶯よ、お前はお前の生命の歌を響かせるがいい
そのときよ、快楽の極みのうちに！

お前は歌い続け……僕の耳は虚しく
お前のレクイエムとともに土塊へと帰するがいい

7

あの鳥自身は死を知らない
あの鳥は世代から世代へと生き続ける
今僕の耳が聴いているまさにその同じ声を

太古の王も道化も聴いたのだ
ルツが異国の野で望郷の涙にくれていたとき
その胸に響いていたのも
これと全く同じ歌だったかもしれぬ

寄る辺ない夢の荒野で　幾度となく魔法の窓を
荒れ狂う海に向って開け放った
あの同じ歌の業

8
寄る辺ない！　その言葉が半鐘のように耳元で鳴り響いて
お前から僕を連れ戻す――　この孤独な自我へ
さようなら！　結局のところお前はうわさほどには
人の心を欺くのに長けてはなかった

さようなら！　さようなら！　お前の悲しい頌歌が遠ざかってゆく
丘を越え　谷間を下り　底知れぬ沼のなかへ
あれは幻、それとも醒めたままで見た
夢？

音楽が消えてゆく……僕は
醒めているのか、眠っているのか？

Ode to a Nightingale

もうじき僕は死ぬるでしょう

もうじき僕は死ぬるでしょう
溢れる思いをペン先に拾い上げる暇もなく
収穫の日に聳え立つサイロのように
たわわな言葉の穀物で書物を満たすことも叶わぬままに
星の夜空に　高い雲

憧れに　吹かれたなびく淡い雲
あの雲の影に決して追いつくことのできぬまま
もうじき僕は死ぬるでしょう

恋人よ、美しい時の落とし子よ
一途な愛の魔法の力に包まれて　こうして
あなたの顔を見ていられるのもあとどれくらい？

かくしてひとり茫然と寄る辺ない世界の岸辺に佇んで
恋も名声も虚無の底へ沈みゆくのを眺めつつ
もうじき僕は死ぬるでしょう

'when I have fears that I may cease to be'

注　本章の翻訳は、*John Keats, Poems selected by Andrew Motion, Faber and Faber*, London, 2000を底本とし、岩波文庫版『対訳キーツ詩集』（宮崎雄行編）を参考とした。

あとがき

ここに収めた古典詩新訳シリーズは、雑誌「現代詩手帖」に二〇〇八年から二〇〇九年にかけて十七回に渡って連載したものである。ということはもう十三年前になるわけだ。僕は五十になるかならないか。今にして思えば、無鉄砲というか怖いもの知らずというか、よくもまあこんな大それたことに手を出したものだ。

あらためて読み返してみると、少しずつ当時のことが蘇ってくる。僕は会社勤めを辞めて、たまに詩祭に出かけるほかは毎日ミュンヘンでぷらぷらしていた。朝、妻や子供たちが出かけてゆくと、家のなかはしんと静まり返って、開放感と寄る辺のなさが同時に押し寄せてくる。詩に専念すると意気ごんでみても、詩は朝飯前に書けてしまって、あとには茫漠たる一日が取り残されるのだった。

そんな日々の心の支えになってくれたのが、『谷川俊太郎学』（思潮社、二〇一二年）の執筆と、この古典新訳の連載だった。昼過ぎに学校から帰ってきた子供たちに、主夫として用意した昼食を食べさせると、そそくさと自転車にうち跨ってイザール川のほとりの、いつも決まった樹の下へ向かったものだ。そこで谷川俊太郎の詩集と、そのときどきの翻訳の資料を交互に読んではメモを取り想を練る。すると片側に谷川さんが、もう片方の側にはダンテや李白が佇んでくれているような、実に幸福で満ち足りた気持ちに包まれるのだった。

『谷川俊太郎学』の論考は、井筒俊彦氏の「絶対無分節」や「分節Ⅱ」といった概念に多くを負っているが、こちらの翻訳の作業においては、井筒理論を自分なりに実践してみようという目論見があったかもしれない。日常的な論理言語であれば一対一の意味対応によって訳せばいいが、深層言語（すなわち井筒氏のいう「分節Ⅱ」の言語）で書かれた詩を訳すためには、いったん意味の表層を超えて「根源無分節」の深みへとダイブし、そこからあらためて自分なりの分節Ⅱの言葉を抱えて浮上して来なければならない。逆に言えば、そのような翻訳プロセスを自らに課すことによって、言語や文化や民族といった属性を剝ぎ取った、純粋なポエジーそのものを感知することができるのではないか？　だとすれば結果としての訳文が、逐語的な訳から大きく隔たったり、まったく別の詩の引用という形を取ることになっても止むを得ない。むしろそのような変容をこそ探索しようではないか――そんな風に考えていたのだと思う。

その考えは今もまったく変わっていない。むしろその後『偽詩人の世にも奇妙な栄光』という小説を書くことで、詩とは本質的に現実世界を魔術的な言語へと「翻訳」する作業であり、しいては人間の意識そのものが、「翻訳」というプロセスを経て発生してくるのではないかとさえ思えてきた。そういえばあの小説の主人公吉本昭洋は、海外の現代詩から東西の古典詩まで、手当たり次第にパクっては自作として発表して詩人を名乗ったわけだが、実はこの古典新訳シリーズがその原型だったというわけである。

十三年前の連載の担当だった（そして谷川さんやダンテと一緒に異国の孤心を励ましてくれた）髙木真史さんが、それを一冊の書物として纏め上げてくださった。心より感謝申し上げます。

二〇二二年九月十五日　東京にて

四元康祐　よつもと・やすひろ

一九五九年、大阪生まれ。八六年アメリカ移住。九四年ドイツ移住。詩集に『笑うバグ』、『世界中年会議』（山本健吉文学賞、駿河梅花文学賞）、『噤みの午後』（萩原朔太郎賞）、『ゴールデンアワー』、『現代詩文庫・四元康祐詩集』、『妻の右舷』、『対詩　詩と生活』（小池昌代と共著）、『対詩　泥の暦』（田口犬男と共著）、『言語ジャック』、『日本語の虜囚』（鮎川信夫賞）、『現代ニッポン詩（うた）日記』、『単調にぼたぼたと、がさつで粗暴に』、『小説』など。詩文集に『フリーソロ日録』、『龍に呑まれる、龍を呑む――詩人のヨーロッパ体験』、小説に『偽詩人の世にも奇妙な栄光』、『前立腺歌日記』、評論集に『谷川俊太郎学――言葉VS沈黙』『詩人たちよ！』、翻訳にサイモン・アーミテージ『キッド』（栩木伸明と共訳）、『ホモサピエンス詩集――四元康祐翻訳集現代詩篇』、イオアナ・モルプルゴ編『月の光がクジラの背中を洗うとき――48カ国108名の詩人によるパンデミック時代の連歌』（吉川凪と共訳）。編著に『地球にステイ！――多国籍アンソロジー詩集』など。二〇二〇年、三十四年ぶりに生活の拠点を日本に戻す。

ダンテ、李白に会う

四元康祐翻訳集古典詩篇

著者
四元康祐

発行者
小田啓之

発行所
株式会社 思潮社
〒一六二―〇八四二　東京都新宿区市谷砂土原町三―十五
電話〇三（五八〇五）七五〇一（営業）
〇三（三二六七）八一四一（編集）

印刷・製本
三報社印刷株式会社

発行日
二〇二三年三月二十五日　第一刷　二〇二三年七月二十五日　第二刷